D0715296

CHRISTIAN BOURGOIS ÉDITEUR
12, avenue d'Italie — Paris XIIIe

*Du même auteur
dans la collection 10/18*

LA FENÊTRE OUVERTE, n° 1400
L'OMELETTE BYZANTINE, n° 1431

L'INSUPPORTABLE BASSINGTON

Reginald au Carlton
et autres nouvelles inédites

PAR

SAKI

Traduit de l'anglais
par Raymonde ASSELIN
et Michel DOURY

Série « Domaine étranger »
dirigée par Jean-Claude Zylberstein

JULLIARD

L'INSUPPORTABLE
BASSINGTON

Cette histoire n'a pas de morale. Si elle dénonce un mal, du moins n'y suggère-t-elle pas de remède.

CHAPITRE PREMIER

Francesca Bassington était assise dans son salon de Blue Street W. ; elle savourait en compagnie de son estimable frère Henry du thé de Chine et des petits sandwiches au cresson. Le goûter offrait un exemple de cet équilibre harmonieux qui sait combler les désirs de l'heure tout en évoquant avec bonheur le souvenir d'un déjeuner confortable et la perspective réjouissante d'un dîner soigné.

Lorsqu'elle était plus jeune Francesca était connue comme la belle Miss Greech ; à quarante ans, quoique sa beauté d'alors demeurât en grande partie intacte, elle n'était plus que cette chère Francesca Bassington. Personne n'aurait songé à la qualifier de charmante, mais il y avait beaucoup de gens qui la connaissaient à peine et qui n'oubliaient jamais le « chère ».

Ses ennemis, dans leurs moments d'honnêteté, auraient reconnu qu'elle était svelte et qu'elle savait s'habiller mais ils auraient été d'accord avec ses amis pour affirmer qu'elle n'avait pas d'âme. Quand les amis et les ennemis de quelqu'un se mettent d'accord sur un point particulier, ils se trompent presque toujours. Francesca elle-même, si on l'avait brusquement priée de décrire son âme, aurait probablement décrit son salon. Non parce qu'elle aurait considéré

11

que le salon avait marqué son empreinte sur l'âme, et qu'on pouvait donc, grâce à un examen approfondi du premier, découvrir les traits dominants de la seconde, et même deviner ses replis secrets, mais bien parce qu'elle aurait obscurément reconnu que son salon était son âme.

Francesca était une de ces femmes envers qui le destin semble avoir les meilleures intentions et ne jamais les mettre à exécution. Avec les atouts dont elle disposait, on aurait pu s'attendre à la voir jouir d'une part de bonheur féminin supérieure à la moyenne.

Parmi les choses qui constituent dans la vie d'une femme des sources de chagrin, de déception, de découragement, il y en avait tant qui avaient été écartées de son chemin qu'on aurait très bien pu la tenir pour l'heureuse Miss Greech, ou plus tard pour cette Francesca Bassington qui a tant de chance. Et elle n'était pas de ces êtres pervers qui transforment leurs âmes en jardins rocailleux parce qu'ils y traînent tous les chagrins racornis et toutes les peines disponibles qu'ils peuvent trouver dans leur entourage. Francesca adorait la vie facile et les moments agréables de l'existence ; elle n'aimait pas seulement le beau côté des choses pour le regarder, mais pour s'y installer et en profiter. Et le fait que les événements avaient parfois mal tourné pour elle, en lui volant quelques-unes de ses jeunes illusions, n'avait fait que l'attacher plus étroitement au bonheur qui lui restait, à présent qu'elle semblait avoir atteint une période plus calme de sa vie. Pour des amis sans discernement, elle avait l'apparence d'une femme assez égoïste, mais ce n'était que l'égoïsme d'un être qui a vu les bons et les mauvais côtés de la vie, et qui désire profiter au maximum de ce qui lui reste des premiers. Les vicissitudes de la vie ne l'avaient pas aigrie, mais elles l'avaient peut-être rétrécie en l'incitant à concentrer la plupart de ses sympathies sur des choses qui étaient pour elle des sources de plaisir ou d'amusement immédiat, ou qui rappelaient et perpétuaient les événements agréables et heureux d'autrefois. Et c'était son salon, en particulier, qui constituait le cadre où s'inscrivaient les souvenirs ou les témoins d'un bonheur présent et passé.

Dans cette pièce confortable et bizarre avec ses angles de fenêtre en saillie et ses alcôves, avaient fait voile comme vers un port ces précieux trésors personnels et ces trophées qui avaient survécu aux secousses et aux orages d'une vie conjugale médiocrement tranquille. Partout où ses regards se posaient, elle voyait les résultats tangibles de ses succès, de ses économies, de sa chance, de sa bonne administration ou de son bon goût. La bataille avait plus d'une fois tourné à son désavantage, mais, tant bien que mal, elle s'était toujours arrangée pour sauver ses trésors personnels, et son regard complaisant pouvait errer d'un objet à l'autre. Ils représentaient le butin de la victoire, ou ce qui avait pu être sauvé après une défaite honorable. Le délicieux bronze de Frémiet, sur la cheminée, avait été le résultat du Sweepstake d'un Grand Prix couru bien des années auparavant. Un ensemble de Saxe d'une assez grande valeur lui avait été légué par un admirateur discret, qui avait ajouté la mort à toutes ces autres attentions. Un autre ensemble était un cadeau qu'elle s'était fait pour perpétuer le souvenir d'un jour de chance miraculeuse au bridge, à une réception dans une maison de campagne. Il y avait un tapis persan et des Boukara, et des services à thé de Worcester d'une couleur éclatante, qui recelaient chacun un souvenir ou une histoire en plus de sa valeur intrinsèque. Parfois elle s'amusait à penser aux artisans et aux ouvriers d'autrefois qui avaient martelé, forgé et tissé dans des pays et des temps lointains pour produire les splendeurs et les merveilles qui avaient emprunté tantôt un chemin, tantôt un autre, pour finir par échouer en sa possession. Des ouvriers avaient travaillé dans les villes de l'Italie médiévale, plus tard à Paris, dans les bazars de Bagdad et de l'Asie centrale, dans les ateliers anglais d'autrefois, dans les usines allemandes, dans toutes sortes d'étranges repaires où les secrets du métier étaient jalousement gardés, des hommes dont on avait oublié jusqu'au nom et des hommes qui avaient atteint une célébrité mondiale et l'immortalité.

Au-dessus de tous ses autres trésors, et les surpassant tous à l'avis de Francesca, il y avait le grand Van der Meulen qui était venu de la maison de son père comme contribution à sa dot. Il s'adaptait exactement dans le panneau central, au-dessus de l'étroit meuble de Boulle et il remplissait exactement la place qui lui était assignée dans la composition et l'équilibre de la pièce. Où que vous fussiez il semblait vous faire face, comme le chef de file des autres. Une agréable sérénité se dégageait de cette grande scène de bataille pleine d'apparat, avec tous ses guerriers enfourchant leurs coursiers lourdement cabrés, gris, pie ou bais, et qui donnaient tous, en dépit de leur intense gravité, l'impression que leurs campagnes n'étaient autre chose que des pique-niques de grand style, sérieux et immenses. Francesca n'aurait pu imaginer le salon sans le couronnement final de ce tableau qui tenait sa place avec une heureuse magnificence, exactement comme elle ne pouvait s'imaginer ailleurs que dans cette maison de Blue Street, avec son Panthéon rempli de dieux domestiques sacrés.

Et c'est là que surgissait, comme une épine à travers un pétale de rose satiné, le seul obstacle à ce qui aurait pu être la tranquillité d'esprit de Francesca. Le bonheur des gens réside toujours plus dans l'avenir que dans le passé. Avec tout le respect dû à ce qui passe pour une autorité en matière de sentiment, on peut affirmer sans hésiter que le comble du chagrin, c'est de prévoir une aggravation de ses malheurs. La maison de Blue Street lui avait été léguée par sa vieille amie Sophie Chetrof, mais il était entendu que Francesca devait la rendre à la nièce de Sophie, Emmeline Chetrof, le jour où celle-ci se marierait, la maison devant alors lui revenir comme cadeau de noces. Emmeline avait maintenant dix-sept ans, elle était assez jolie, et on ne pouvait sérieusement espérer que son célibat excéderait une durée de quatre ou cinq ans. Au-delà de cette période, c'était le chaos, l'arrachement brutal séparant Francesca de sa maison, de ce refuge qui était devenu son âme. Il est vrai qu'elle s'était construit, dans son imagination, un pont sur l'abîme, mais un pont à une seule arche. Le pont en question était son fils Comus, alors écolier, qui faisait son éducation quelque part dans les comtés du Sud ; ou il serait plus exact de dire que le pont résidait tout entier dans la possibilité d'un éventuel mariage de Comus avec Emmeline, auquel cas Francesca se voyait régnant toujours, un peu plus à l'étroit peut-être, dans la maison de Blue Street. Le Van der Meulen trônerait toujours, baigné par la seyante lumière de l'après-midi, le Frémiet, les saxes et le vieux Worcester poursuivraient le cours d'une existence paisible dans leurs niches habituelles. Emmeline pourrait avoir le coin japonais, où Francesca buvait quelquefois son café après dîner ; il lui servirait de salon particulier et elle pourrait y mettre ses affaires personnelles. La structure du pont avait été soigneusement étudiée presque dans les moindres détails ; seulement, c'était, hélas, Comus qui incarnait l'arche à laquelle tout était suspendu.

Le mari de Francesca avait insisté pour qu'on donnât au jeune homme cet étrange nom païen, et il n'avait pas vécu assez longtemps pour juger à quel point ce prénom était, sinon assorti à l'enfant, du moins hautement significatif. En dix-sept ans et quelques mois, Francesca avait eu amplement l'occasion de se faire une opinion sur le caractère de son fils. L'enfant était évidemment doué de cette gaieté inextinguible qu'on associe couramment à son nom, mais c'était une sorte de gaieté fantasque et ricanante dont Francesca elle-même ne pouvait généralement pas saisir le côté comique. Pour ce qui était d'Henry, le frère de Francesca qui était assis près d'elle en mangeant de petits sandwiches au cresson aussi solennellement que si leur ingestion avait été prescrite par quelque livre de pratiques religieuses, le destin s'était montré franchement bienveillant pour Francesca. Il aurait très bien pu épouser n'importe quelle jolie petite femme sans ressources, s'installer ensuite à Notting Hill Gate et mettre au monde une kyrielle d'enfants pâles, studieux et inutiles, qui auraient eu des anniversaires et le genre de maladies qui comporte l'envoi obligatoire de raisin ; ils auraient peint des objets stupides dans le style South Kensington, ils en auraient ensuite fait don à une tante qui ne disposait pas d'un cubage illimité pour entasser les vieilleries. Au lieu d'adopter une conduite aussi peu fraternelle, Henry avait épousé une femme qui avait à la fois de la fortune et le sens du repos ; leur unique enfant avait la brillante vertu de ne jamais rien dire qui, de l'avis même de ses parents, valût la peine d'être répété. Henry était ensuite entré au Parlement, pensant peut-être que sa vie à la maison lui semblerait ainsi un peu moins terne ; en tout cas, cette décision sauva sa carrière de l'insignifiance, car tout homme dont la mort peut coïncider avec l'annonce d'une élection complémentaire sur les affiches échappe au néant total. Bref, Henry qui aurait pu être une gêne et un poids avait préféré être un ami et un conseiller, parfois même l'aide nécessaire pour rétablir d'urgence un équilibre bancaire compromis. Avec toute la partialité qu'une femme intelligente et volontiers paresseuse ressent

16

souvent pour un estimable imbécile, non seulement Francesca lui demandait son avis, mais encore elle le suivait souvent. Elle remboursait d'ailleurs ses dettes dès qu'elle le pouvait.

Si le destin s'était montré fort serviable en la gratifiant d'Henry comme frère, Francesca pouvait en revanche apprécier à sa juste valeur la cruelle malveillance de la fatalité qui lui avait donné Comus pour fils. Le jeune homme appartenait à ces indomptables champions du désordre qui s'ébattent en s'excitant eux-mêmes à travers nursery, école primaire et collège, suivis d'un cortège monumental d'orages, de vacarme, de mésaventures et du moins possible d'efforts rebutants, pour émerger finalement dans un éclat de rire d'une série de catastrophes qui aurait réduit aux larmes toute autre personne. Les jeunes indomptables se calment quelquefois par la suite et perdent tout intérêt en oubliant qu'ils furent jamais champions de quelque chose, quelquefois le destin entre royalement dans leur jeu ; ils réalisent de grandes choses sur un vaste plan, sont remerciés par le Parlement, la presse, et ils sont acclamés par les foules des jours de gala. Mais, le plus souvent, leur tragédie commence lorsqu'ils quittent l'école, pour se déchaîner dans un univers devenu trop civilisé, trop encombré et trop vide pour qu'ils puissent y trouver place. Et ils sont légion.

Henry Greech avait fini de grignoter ses petits sandwiches et, comme un ouragan de poussière qui aurait retrouvé sa vigueur, il s'attaqua enfin à la discussion d'un des sujets les plus à la mode du moment : la lutte contre le paupérisme.

— C'est une question à peine entamée, flairée, pourrait-on dire, à l'époque actuelle, observa-t-il, mais il faudra bien que nous lui accordions avant longtemps une attention et une considération sérieuses. La première chose qu'il faudra que nous fassions, c'est d'aborder enfin la question sans dilettantisme ni académisme. Il nous faut rapprocher pour les réaliser de dures vérités. C'est un sujet qui devrait intéresser tous les esprits qui réfléchissent, et pourtant, figure-toi que j'ai un mal extraordinaire à y intéresser les gens.

Francesca émit quelque réponse monosyllabique, une sorte de grognement compréhensif qui avait pour but d'indiquer qu'elle écoutait et qu'elle appréciait jusqu'à un certain point. En réalité, elle se disait qu'Henry avait peut-être toujours un mal extraordinaire à intéresser les gens, quel que fût le sujet sur lequel il dissertât. Ses facultés l'orientaient si résolument vers le genre inintéressant que, même s'il avait assisté en personne aux massacres de la Saint-Barthélemy, il aurait probablement réussi à communiquer un parfum d'ennui à sa description de l'événement.

— Je parlais de ce sujet l'autre jour, dans le Leicestershire, continua Henry, et j'ai exposé assez longuement une chose que peu de gens prennent la peine de considérer...

Francesca passa rapidement, mais poliment, à la majorité qui ne veut pas prendre la peine de considérer.

— As-tu rencontré un des Barnet pendant que tu étais là-bas ? interrompit-elle. Elizabeth Barnet s'intéresse beaucoup à ces questions.

Dans les mouvements de propagande pour la sociologie, comme en d'autres arènes où la vie et le sort des batailles sont en jeu, c'est souvent entre des individus ou des espèces étroitement alliés que la concurrence et l'émulation sévissent avec le plus de férocité. Eliza Barnet partageait beaucoup des vues politiques et sociales d'Henry Greech, mais elle partageait aussi son faible pour les exposés assez longs ; elle avait, en certaines occasions, gardé la parole pendant tout le laps de temps strictement limité qui était accordé à un groupe d'orateurs, dont

Henry Greech était une fraction impatiente, pour faire montre de son éloquence à la tribune. Il partageait probablement les vues d'Eliza Barnet sur les principales questions politiques du jour, mais Henry Greech était affligé d'œillères mentales dès qu'il était question de ses estimables qualités, et ce seul nom agissait sur lui comme un appât adroitement placé sur le fil de ses discours. Si Francesca devait subir l'éloquence de son frère à propos de n'importe quoi, elle préférait de beaucoup la mise en pièces d'Eliza Barnet à la lutte contre le paupérisme.

— Je suis persuadé que ses intentions sont excellentes, dit Henry, mais il serait bon qu'on l'engageât à se mettre un peu moins en avant et à ne pas se prendre pour le porte-parole indispensable de toute la pensée progressiste des campagnes. J'imagine que c'est à elle que pensait le chanoine Besomley le jour où il a dit qu'il y avait des gens qui venaient au monde pour ébranler des empires et d'autres pour proposer des amendements.

Francesca rit avec un plaisir qui n'était pas feint.

— Je pense qu'elle doit être remarquablement ferrée sur tous les sujets dont elle parle, ajouta-t-elle pour le stimuler.

Henry se rendit compte qu'on était peut-être en train de l'amener à parler d'Eliza Barnet ; il se tourna donc aussitôt vers un sujet plus personnel.

— D'après l'atmosphère de tranquillité qui baigne la maison, je déduis que Comus est reparti pour Thaleby, observa-t-il.

— Oui, dit Francesca, il est reparti hier. Je l'aime beaucoup, évidemment, mais je supporte très bien la séparation. Quand il est là, on a l'impression qu'il y a un volcan en activité dans la maison, un volcan qui, dans ses moments les plus calmes, pose des questions sans arrêt, et qui se sert de parfums violents.

— Ce n'est qu'un répit temporaire, dit Henry ; dans un an ou deux il aura fini ses études, et ensuite ?

Francesca ferma les yeux avec l'air d'une femme qui s'efforce de chasser une vision angoissante. Elle n'aimait guère interroger l'avenir avec trop d'indiscrétion quand elle n'était pas seule, surtout quand l'avenir se présentait sous des couleurs douteusement favorables.

— Et ensuite ? insista Henry.

— Ensuite, je suppose qu'il sera à ma charge.

— Exactement.

— Ne prends pas cet air de juge. Je ne demande qu'à entendre tes suggestions si tu en as à faire.

— S'il s'agissait d'un garçon comme les autres, dit Henry, je pourrais faire des quantités de suggestions pour lui trouver un travail qui lui conviendrait. D'après ce que nous savons de Comus, nous ne ferions donc tous que perdre notre temps à lui chercher des emplois qu'il ne voudrait même pas envisager, quand nous les lui aurions trouvés.

— Il faut qu'il fasse quelque chose, dit Francesca.

— Je sais bien qu'il le faut, mais il ne le fera jamais. En tout cas, il sera toujours incapable de faire un travail suivi. Ce qu'on pourrait en faire de mieux, c'est de le marier à une héritière. Cela résoudrait le côté financier du problème. S'il avait une immense fortune à sa disposition, il pourrait aller chasser le gros gibier quelque part dans le désert. Je n'ai jamais compris comment le gros gibier avait mérité ce triste sort, mais il contribue puissamment à détourner l'énergie destructrice de quelques-uns de nos ratés.

La suggestion matrimoniale intéressa vivement Francesca.

— Je n'ai pas d'héritière à ma disposition, dit-elle en réfléchissant ; il y a évidemment Emmeline Chetrof… On ne peut guère la qualifier d'héritière, mais elle possède un revenu personnel satisfaisant, et je suppose qu'elle aura encore quelque chose à la mort de sa grand-mère. De plus, tu sais que cette maison doit lui revenir dès qu'elle se mariera.

— Cela irait parfaitement, dit Henry dont la pensée suivait probablement un itinéraire que sa sœur avait parcouru en imagination des centaines de fois avant lui. Est-ce qu'elle s'entend bien avec Comus ?

— Oh ! pas mal dans le genre garçon et fille, dit Francesca, il faudra que je m'arrange dans l'avenir pour qu'ils se connaissent mieux. A propos, Lancelot, ce petit frère dont elle est folle, doit aller à Thaleby cette année. Je vais écrire à Comus pour lui recommander d'être spécialement gentil avec lui. Ça sera la meilleure façon de gagner le cœur d'Emmeline. Comus a été nommé préfet, figure-toi, Dieu sait pourquoi.

— Cela ne peut être que pour ses qualités sportives. Je crois que nous pouvons affirmer que ni le travail ni la conduite n'y sont pour rien.

Comus ne plaisait pas beaucoup à son oncle.

Francesca s'était tournée vers son secrétaire pour griffonner une lettre dans laquelle tous les attributs inévitables du nouvel élève, en particulier une santé délicate et un caractère timide, étaient portés à la connaissance de Comus. Quand elle eut cacheté et timbré l'enveloppe, Henry émit un avis tardif.

— Après tout, peut-être aurait-il été plus sage de ne pas parler de ce garçon à Comus. Il ne tient pas toujours compte des conseils qu'on lui donne, tu sais.

Francesca le savait bien, et elle était sur le point de se ranger à l'avis de son frère, mais la femme qui peut sacrifier un timbre d'un penny parfaitement intact n'est probablement pas encore née.

CHAPITRE II

Lancelot Chetrof était debout à l'entrée d'un long couloir nu, il consultait sa montre sans arrêt, en souhaitant avec ardeur être plus vieux d'une demi-heure, ce qui aurait relégué dans le passé une épreuve certainement douloureuse. Malheureusement, elle appartenait encore à l'avenir, et, ce qui était plus horrible encore, à l'avenir immédiat. Comme beaucoup d'enfants qui arrivent dans une école, il nourrissait une passion morbide pour l'obéissance aux règlements, mais son zèle à cet égard s'était révélé inefficace. Il s'était tant dépêché pour faire immédiatement deux ou trois choses parfaitement honorables qu'il en avait oublié de prendre minutieusement connaissance des ordres affichés ; il avait ainsi manqué un exercice de football spécialement recommandé aux nouveaux. Ses camarades, instruits par une année d'expérience, lui avaient fait un tableau précis des conséquences inévitables de sa faute ; la terreur de l'inconnu ne venait donc pas s'ajouter au châtiment qui s'approchait, bien que, sur le moment, il se sentît très peu de reconnaissance pour les révélations qu'on lui avait prodiguées avec tant de sollicitude.

— Tu en recevras six de première force, sur le dossier d'une chaise, dit l'un.

— On tracera certainement un trait de craie sur toi, dit un autre.

— Un trait de craie ?

— Bien sûr, c'est pour donner tous les coups au même endroit. Ça fait beaucoup plus mal comme ça.

Lancelot essayait de nourrir le faible espoir que cette description fâcheusement réaliste contenait peut-être une certaine part d'exagération.

Pendant ce temps, dans la salle des préfets, à l'autre bout du couloir, Comus Bassington et un autre préfet siégeaient, eux aussi guettant l'heure, mais avec des sentiments d'attente infiniment moins pénibles. Comus était un néophyte dans la caste des préfets, mais non un des moins illustres, et, hors de la salle des professeurs, il jouissait d'une certaine popularité ou du moins d'une certaine admiration intermittente. Au football, son manque de discipline l'empêchait d'être un joueur de première force, mais il attaquait comme si le fait de précipiter son adversaire au sol, la tête la première, était une véritable jouissance, et les jurons qu'il proférait quand il se faisait mal étaient recueillis avec un soin jaloux par ceux qui avaient le bonheur d'en être les témoins. En athlétisme, il réussissait en général brillamment et, bien que nouveau dans la fonction de préfet, il passait déjà pour savoir manier la canne avec art et efficacité. Son physique correspondait exactement à son étrange nom païen. Ses grands yeux gris-vert semblaient toujours étinceler d'une malice diabolique et d'une joie orgiaque ; ses lèvres arquées auraient pu appartenir à quelque faune au rire pervers et on s'attendait presque à voir des embryons de cornes se dessiner dans ses cheveux noirs lissés, et brillants. Le menton était ferme, mais on aurait vainement cherché la moindre trace réconfortante de mauvais caractère sur cette jolie figure, mi-moqueuse, mi-insolente. Un fond d'amertume naturelle aurait pu agir chez Comus comme un ferment et faire germer en lui une personnalité créatrice de premier plan. Le destin l'avait gratifié d'un certain charme fantasque tout en le laissant complètement désarmé devant les grands problèmes de la vie. Personne ne l'aurait peut-être pris pour un être attachant, mais il était adorable à bien des égards. A tous égards, il était indubitablement infernal.

Rutley, son compagnon du moment, était assis, l'œil fixé sur Comus ; il interrogeait les abîmes de son médiocre cerveau pour savoir s'il aimait Comus ou s'il le détestait, les deux solutions étant également vraisemblables.

— Ce n'est pas vrai que c'est à toi de donner les coups de canne, dit-il.

— Je sais bien, dit Comus qui maniait une canne impressionnante avec toute la piété d'un violoniste touchant un Stradivarius. J'ai donné du chocolat à Greyson pour qu'il me laisse jouer à pile ou face qui de nous deux taperait et j'ai gagné. Il a été très correct et il m'a rendu la moitié du chocolat.

La malicieuse gaieté qui valait à Comus Bassington tant de popularité parmi ses camarades s'était avérée peu efficace pour faire la conquête des professeurs qu'il avait rencontrés au cours de sa vie scolaire. Il amusait et intéressait certains d'entre eux qui avaient reçu la grâce rédemptrice de l'humour, mais, s'ils soupiraient quand Comus échappait à leur responsabilité personnelle, c'était de soulagement plutôt que de regret. Les plus clairvoyants et les plus expérimentés d'entre eux se rendaient compte qu'il échappait totalement au domaine de leur compétence habituelle.

Ceux qui étaient doués de vues plus étroites et, en conséquence, d'une confiance plus grande dans leurs propres capacités se sentaient tout prêts à attaquer la tornade.

— Il me semble que, si j'étais à votre place, je

pourrais dompter le jeune Bassington, disait une fois un professeur à un de ses collègues dont le pavillon avait le redoutable honneur de compter Comus parmi ses habitants.

— Dieu me préserve d'essayer.

— Mais pourquoi donc? demanda le redresseur de torts.

— Parce que la nature déteste qu'on intervienne dans ses décisions, c'est prendre une redoutable responsabilité que de se mettre à dompter ce qui est visiblement indomptable.

— Quelle idée! La nature nous livre les enfants à l'état de matière brute.

— C'est vrai pour des millions d'entre eux. Il y en a quelques-uns, et c'est le cas de Bassington, qui sont, à l'âge scolaire, des produits remarquablement achevés, et nous, dont la mission est de pétrir la matière brute, nous sommes impuissants à leur égard.

— Mais que deviennent-ils en grandissant?

— En réalité, ils ne grandissent pas, dit le chef de pavillon, c'est ce qu'il y a de tragique dans leur cas. Bassington ne dépassera certainement jamais son âge actuel.

— Votre critique est sans doute fondée, mais je ne suis pas de votre avis au sujet de Bassington. Il n'est pas impossible à manœuvrer, comme le savent tous les gens qui ont eu affaire à lui, et, s'il n'y avait pas mille autres choses à faire, je crois qu'on pourrait le dompter.

Et il continua son chemin, ayant ainsi maintenu inaliénable le privilège du professeur qui consiste à avoir raison.

— Vous parlez en ce moment comme Peter Pan, dit le professeur.

— Cela n'a rien à voir avec Peter Pan dans mon esprit, dit le chef de pavillon.

Dans la salle des préfets, Comus s'occupait activement de planter une chaise bien exactement au milieu de la pièce.

— Je crois que tout est prêt, dit-il.

Rutley jeta un coup d'œil à la pendule avec l'air que devait avoir un élégant Romain au cirque lorsqu'il attendait languissamment la présentation du chrétien attendu au tigre qui l'attendait.

— Le gosse doit arriver dans deux minutes, dit-il.

— Il ferait rudement mieux de ne pas être en retard, dit Comus.

Comus avait subi beaucoup de châtiments dans ses premières années scolaires, et il pouvait se représenter exactement la panique qui devait maintenant s'emparer de sa victime prédestinée en cet instant précis où elle devait hésiter lamentablement de l'autre côté de la porte. Après tout, c'était un des aspects distrayants de l'histoire, et la plupart des choses ont leur côté amusant si on sait où le chercher.

On frappa à la porte, et Lancelot parut en réponse à cette sommation pleine d'une engageante cordialité :

— Entre.

— Je suis venu pour qu'on me donne des coups de canne, dit-il en haletant, et il ajouta, pour se présenter : je m'appelle Chetrof.

— C'est déjà très suffisant comme ça, dit Comus, mais la suite est probablement pire. Il y a sûrement quelque chose que tu ne nous as pas dit.

— J'ai manqué une fois l'entraînement de foot.

— Six, dit brièvement Comus en ramassant sa canne.

— Je n'avais pas vu la convocation sur le tableau, hasarda Lancelot avec un vague espoir.

— Nous écoutons toujours les excuses avec plaisir, et notre tarif est de deux coups de canne supplémentaires. Ça fera huit. Vas-y.

Et Comus désigna la chaise qui se dressait dans un isolement sinistre au milieu de la pièce. Jamais un meuble n'avait paru aussi haïssable aux yeux de Lancelot. Comus se rappelait encore très bien le temps où une chaise plantée au milieu d'une pièce lui semblait le plus horrible des objets manufacturés.

— Prête-moi un morceau de craie, dit-il à son collègue.

Lancelot reconnut tristement que l'histoire de la ligne de craie était vraie.

Comus dessina la ligne de craie avec une exactitude scrupuleuse qu'il n'aurait pas daigné appliquer à un diagramme d'Euclide ou à une carte de la frontière irano-russe.

— Penche-toi un peu plus en avant, dit-il à sa victime, et tiens-toi beaucoup plus droit. Ne te donne pas la peine de prendre l'air aimable ; de toute façon, je ne peux pas voir ta figure. On peut trouver cette affirmation peu orthodoxe, mais ça va te faire beaucoup plus mal qu'à moi.

Il y eut alors un temps d'arrêt soigneusement calculé. Puis Lancelot comprit d'une manière frappante ce qu'une bonne canne peut arriver à faire quand elle est maniée par quelqu'un de vraiment compétent. Au second coup, il se précipita violemment hors de la chaise.

— Maintenant, j'ai oublié le compte, dit Comus. Il va falloir tout recommencer. Aie l'amabilité de reprendre la même position. Si tu te baisses avant que j'aie fini, Rutley te tiendra et tu en auras douze.

Lancelot se redressa sur sa chaise, et on l'installa à nouveau au gré de son bourreau. Il y resta tant bien que mal pendant que Comus lui portait huit coups d'une douloureuse efficacité sur la ligne de craie.

— A propos, dit-il après le châtiment à sa victime qui soufflait et haletait, tu as dit Chetrof, n'est-ce pas ? Je crois qu'on m'a demandé d'être gentil avec toi. Pour commencer, tu peux nettoyer à fond mon studio, cet après-midi. Fais bien attention en époussetant les vieux chines. Si tu en casses un, ne viens pas me le dire, va tout simplement te noyer quelque part ; cela t'évitera un sort plus affreux.

— Je ne sais pas où est votre studio, dit Lancelot entre deux suffocations.

— Tu feras bien de le trouver, ou je me verrai dans l'obligation de te battre, et sérieusement cette fois. Tiens, tu feras bien de garder cette craie dans ta poche. On sera sûrement content de l'avoir sous la main avant longtemps. Ne prends pas la peine de me remercier pour tout ce que j'ai fait, tu me gênerais.

Comme Comus n'avait pas de studio, Lancelot passa une demi-heure fébrile à le chercher, à la suite de quoi il manqua un autre entraînement de foot.

« Tout est très sympathique ici, écrivait Lancelot à sa sœur Emmeline. Les préfets peuvent vous faire suer s'ils veulent, mais ils sont généralement corrects. Il y en a qui sont des brutes. Bassington est préfet, mais c'est un des moins anciens. Comme brute, on ne peut pas trouver mieux. En tout cas, c'est mon avis. »

Les réserves de l'écolier n'en disaient pas plus long, mais Emmeline combla les lacunes avec la magnifique prodigalité d'une imagination féminine.

Le pont de Francesca s'écrasait dans l'abîme.

CHAPITRE III

Deux ans après les événements relatés plus haut, à la fin d'un certain jour de novembre, Francesca Bassington se frayait un chemin dans la foule qui emplissait l'appartement de son amie Serena Golackly ; tout en marchant, elle saluait vaguement quelques figures de connaissance, mais ses yeux avaient visiblement pour objectif un individu bien déterminé. Le Parlement avait rassemblé ses énergies pour une session d'automne et les deux partis politiques se trouvaient honorablement représentés dans la foule. Serena avait l'innocente manie d'inviter une certaine quantité d'hommes plus ou moins publics avec l'espoir qu'en les laissant ensemble assez longtemps, il en sortirait un « salon ». En vertu de la même intuition, dans la tranquille petite maison du Surrey où elle passait ses week-ends, Serena avait garni ses parterres d'un vaste mélange de bulbes et elle avait intitulé le résultat : un jardin hollandais. Malheureusement, on a beau amener chez soi de brillants causeurs, il est quelquefois difficile de les faire causer brillamment, ou même de les faire causer tout court ; et, ce qui est plus grave, il est impossible de restreindre le débit de ces imbéciles à la voix d'étourneau qui ont toujours l'air, à propos de tout, d'avoir à raconter ce qui vaudrait d'être passé sous silence. Francesca dépassa un groupe qui discutait d'un peintre espagnol âgé de quarante-trois ans, auteur chevronné de plusieurs milliers de mètres carrés de toiles, mais dont personne n'avait entendu parler à Londres quelques mois plus tôt. Les voix d'étourneaux semblaient maintenant décidées à ce qu'on n'entendît pour ainsi dire plus parler d'autre chose. Trois femmes savaient prononcer son nom, une autre ressentait à la vue de ses toiles le désir de pénétrer dans une forêt pour y prier, une autre encore avait observé qu'il y avait des grenades dans toutes ses dernières compositions, et un homme au col indéfendable connaissait la « signification » des grenades.

— Ce que je trouve si magnifique chez lui, dit une robuste dame d'une voix forte et provocante, c'est la façon dont il défie toutes les conventions de l'art, en conservant la raison d'être de ces conventions.

— Ah ! mais avez-vous remarqué..., glissa l'homme à l'horrible col, et Francesca poursuivit désespérément son chemin.

Elle se demandait en fendant la foule pourquoi la surdité passait pour une telle calamité. Son avance fut un instant arrêtée par un couple engagé dans une discussion ardente et volubile sur quelque question d'une actualité brûlante ; un mince jeune homme à lunettes, pourvu de ce front fuyant qui est généralement le signe d'idées avancées, parlait à une jeune femme également pourvue de lunettes, d'un front du même genre et de cheveux particulièrement peu soignés. Son rêve était d'avoir l'air d'une étudiante russe et elle avait passé des semaines à rechercher patiemment l'endroit exact où on doit mettre les feuilles de thé dans un samovar. On l'avait une fois présentée à une jeune Juive d'Odessa qui était morte de pneumonie la semaine suivante ; cette expérience, en dépit de son caractère superficiel, conféra à la jeune femme, aux yeux de ses proches, une haute autorité sur tout ce qui touchait à la Russie.

— La conversation est utile, la conversation est nécessaire, disait le jeune homme, mais il faut quitter l'ornière de la conversation à bâtons rompus pour élever le sujet jusqu'au terrain solide de la discussion pratique.

La jeune femme profita de ce brusque arrêt de rhétorique pour jeter avec précipitation la phrase qu'elle avait sur le bout de la langue.

— En émancipant les serfs de la pauvreté, il faudra que nous fassions bien attention à ne pas tomber dans les fautes de la bureaucratie russe lorsqu'elle a libéré les serfs de la glèbe.

Et la jeune femme attendit à son tour que cette remarque ait réalisé son effet déclamatoire, mais elle recouvra la respiration assez rapidement pour repartir de plus belle dans un langage en tout point digne du jeune homme qui entamait précipitamment sa phrase suivante.

« Voilà un excellent début, se dit Francesca. C'est probablement la lutte contre le paupérisme qui leur donne tant de mal. Qu'adviendrait-il donc de ces braves gens si quelqu'un lançait une croisade pour lutter contre la médiocrité ? »

Au milieu d'une des petites pièces, toujours en quête d'une invisible présence, Francesca aperçut une silhouette qu'elle connaissait et une ombre de déplaisir passa sur son visage. L'objet de cette contrariété à peine visible était Courtenay Youghal, un politicien débutant, qui paraissait ridiculement jeune à une génération qui n'avait jamais entendu parler de Pitt. C'était l'ambition de Youghal (ou peut-être sa marotte) d'infuser à la grisaille de la vie politique moderne un peu de la couleur propre au dandysme disraélien tempéré par la correction du goût anglo-saxon et agrémenté d'éclairs d'esprit, conséquence naturelle de son origine celtique. Il n'avait réussi qu'à moitié. Le public n'avait trouvé en lui aucune trace de cette vulgarité tapageuse qu'il cherche dans toutes ses nouvelles étoiles. Ses cheveux châtains élégamment lissés et ses épigrammes fulgurantes avaient du succès, mais le goût discrètement somptueux qui présidait au choix de ses gilets et de ses cravates n'était que peine perdue. S'il s'était servi d'un fume-cigarette de corail rose, ou s'il avait porté des guêtres en tartan du Mackenzie, l'amour des électeurs et la passion des journalistes en mal de copie auraient pu lui être totalement assurés. L'art de la vie publique, c'est de savoir exactement où il faut s'arrêter, et d'aller un peu plus loin.

L'expression désapprobatrice qu'avait un instant reflétée le visage de Francesca n'était pas due au manque de sagacité politique de Youghal. En fait, Comus, qui avait cessé d'être un écolier pour devenir un problème social, s'était récemment enrôlé parmi les amis et les admirateurs du jeune politicien ; or Comus ne s'intéressait absolument pas à la politique à laquelle il ne connaissait rien et il se contentait de copier les gilets de Youghal, et, avec moins de succès, sa conversation.

Francesca sentait qu'elle avait raison de déplorer cette intimité. Une femme qui s'habillait bien malgré un revenu insignifiant avait le droit de s'inquiéter en voyant son fils s'habiller somptueusement malgré un revenu inexistant.

Au nuage qui avait passé sur son visage, en apercevant le déplaisant Youghal, avait bientôt succédé un sourire conquérant et charmé quand le regard de Francesca avait aperçu les saluts amicaux et les signaux de reconnaissance d'un monsieur d'un certain âge, à l'air majestueux, qui semblait sincèrement désireux de l'incorporer dans le groupe un peu maigre qu'il avait rassemblé autour de lui.

— Nous parlions justement de mon nouveau poste, observa-t-il aimablement, comprenant ainsi dans le « nous » son auditoire à l'aspect quelque peu déterminé, et qui, selon toutes les probabilités humaines, n'avait pas ouvert la bouche. Je leur disais justement, et cela peut vous intéresser, que…

Francesca, avec un stoïcisme spartiate, continua d'arborer un sourire insinuant, bien que l'isolement de « l'aspic sourd qui ferme son oreille [1] » lui semblât en ce moment un don magnifique.

Sir Julian Jull avait été membre d'une Chambre des communes qui s'était signalée par une forte proportion d'individus médiocres et bien informés ; il s'était si parfaitement harmonisé avec son entourage que le lecteur le plus attentif des comptes rendus parlementaires n'aurait pu discerner de quel côté de la Chambre il siégeait. Toute hésitation à ce sujet devint impossible quand le parti au pouvoir lui octroya le titre de baronnet ; quelques semaines plus tard, sir Julian fut nommé gouverneur d'une quelconque colonie antillaise. Il aurait été difficile de dire si c'était pour avoir accepté un titre de baronnet ou en application d'une théorie selon laquelle les îles des Antilles ont les gouverneurs qu'elles méritent. Pour sir Julian, il s'agissait sans aucun doute d'une nomination importante ; pendant qu'il exercerait ses fonctions de gouverneur, l'île pouvait recevoir la visite d'un membre de la famille royale ou au moins d'un tremblement de terre et, de toute manière, son nom paraîtrait dans les journaux. Quant au public, son indifférence en la matière était totale. « Qui est-ce et où est-ce ? », c'est à ces questions qu'on aurait pu ramener les lumières de l'auditoire sur les aspects humains et géographiques du problème.

Francesca, cependant, s'était prise d'un intérêt à la fois vif et profond pour sir Julian, dès qu'elle avait entendu parler de sa nomination possible. Comme membre du Parlement, il ne lui avait jamais rendu aucun des importants services compatibles avec ses

---

1. « Ils ont un venin pareil au venin d'un serpent, d'un aspic sourd qui ferme son oreille » (psaume 58, verset 4).

fonctions et, chaque fois qu'elle prenait par hasard le thé à la *Terrasse de la Chambre* elle se plongeait toujours dans une contemplation extasiée de l'hôpital Saint-Thomas quand elle voyait sir Julian à portée de salut. Mais, comme gouverneur d'une île, sir Julian aurait évidemment besoin d'un secrétaire particulier, et, comme ami et collègue d'Henry Greech auquel il était redevable de nombreuses manifestations mineures de soutien politique (ils avaient une fois rédigé ensemble un amendement qui avait été repoussé), n'était-il pas parfaitement naturel et indiqué pour lui de laisser tomber son choix sur Comus, le neveu d'Henry ? Bien qu'il doutât que le jeune homme pût devenir un secrétaire idéal pour un homme politique, Henry était parfaitement d'accord avec Francesca quant au mérite et à l'avantage d'une solution qui emporterait ce jeune animal encombrant vers quelque coin brumeux de l'Empire britannique au-delà des mers. Le frère et la sœur avaient comploté d'offrir à sir Julian un déjeuner à la fois intime et soigné le jour même où sa nomination serait annoncée officiellement, et la question du poste de secrétaire avait été débattue et mise au point aussi minutieusement que possible à chaque occasion, en sorte qu'il ne manquait plus qu'une entrevue officielle entre Son Excellence et Comus pour régler définitivement la situation. A première vue, le jeune homme avait manifesté une médiocre satisfaction à l'idée d'être déporté. Vivre sur une île entourée de requins, comme il disait, avec la société de la famille Jull comme principal soutien, et la conversation de sir Julian comme élément quotidien de son existence, ne lui inspirait pas le vif enthousiasme qu'affichaient sa mère et son oncle, qui ne devaient pas, il est vrai, faire les frais de l'opération. Même l'assurance d'avoir à renouveler complètement sa garde-robe n'excitait pas son imagination avec la force qu'on était en droit d'espérer. Mais, cependant, quelle que fût la tiédeur avec laquelle il eût donné son adhésion, Francesca et son frère étaient bien décidés à mettre tout en œuvre pour que le projet réussît. C'était pour rappeler à sir Julian qu'il avait promis de déjeuner avec Comus le lendemain, afin de mettre au point la question du poste de secrétaire, que Francesca endurait en ce moment l'épreuve d'une longue harangue sur la place importante tenue par le groupe antillais dans l'actif de l'Empire. D'autres membres de l'auditoire se détachaient habilement un par un, mais la patience de Francesca surpassa même l'interminable défilé de lieux communs de sir Julian, et son dévouement matériel fut dûment récompensé par une acceptation réitérée de l'invitation à déjeuner et de ce qui devait en résulter. Elle revint sur ses pas, malgré la foule des bavards à la voix d'étourneau, avec le sentiment réconfortant d'une victoire bien gagnée. Après tout, les « salons » absurdes de cette chère Serena servaient quelquefois la bonne cause.

Francesca n'était pas matinale, et son petit déjeuner commençait tout juste à se déployer rituellement en bataille sur sa table, le lendemain matin, quand un exemplaire du *Times,* apporté de chez son frère par un envoyé spécial, lui fut remis dans sa chambre. Un gros trait au crayon bleu dans la marge attira son attention sur une lettre imprimée en gros caractères sous ce titre ironique : « Julian Jull, proconsul. » Le fonds de la lettre était fourni par l'exhumation cruelle de plusieurs discours stupides et oubliés que sir Julian avait prononcés devant ses électeurs quelques années auparavant, et dans lesquels la valeur de quelques-unes de nos possessions coloniales (de certaines îles des Antilles en particulier) était décriée avec un mélange d'emphase, d'ignorance et d'humour à bon marché. Les extraits paraissaient assez faibles et absurdes par eux-mêmes, mais l'auteur de la lettre les avait entrelardés de ses propres commentaires qui étincelaient d'une fulgurante ironie digne de Cervantès pour sa cruauté raffinée. Francesca se souvint de son épreuve du jour précédent, et elle ne put se défendre d'un certain sentiment d'amusement à la lecture des impitoyables coups de poignard assenés au nouveau gouverneur, après quoi elle chercha la signature qui se trouvait au bas de la lettre, et ses yeux perdirent brusquement leur gaieté. « Comus Bassington » la fixait au-dessus d'une épaisse couche de traits de crayon bleu due à la main tremblante d'Henry. Comus aurait été aussi incapable de composer une lettre de ce genre que d'écrire un mandement épiscopal au clergé d'un quelconque diocèse. C'était évidemment l'œuvre de Courtenay Youghal, et Comus, pour une raison de lui seul connue, avait obtenu de son ami qu'il oubliât son amour-propre d'auteur pour lui laisser la responsabilité de cet excellent article de satire politique. L'attaque était audacieuse et son succès ne pouvait être mis en question ; le poste de secrétaire et l'île lointaine entourée de requins s'évanouissaient dans le brouillard des choses impossibles. Francesca, oubliant la règle dorée de toute stratégie qui enjoint de choisir soigneusement le terrain et l'occasion avant d'ouvrir les hostilités, courut droit à la porte de la salle de bains, derrière laquelle un fracas d'éclaboussures annonçait que Comus avait au moins commencé sa toilette.

— Qu'est-ce que tu as fait ? Tu es infernal !

— M'ai lavé, lui répondit une voix gaie, m'ai lavé depuis le cou jusqu'au creux de l'estomac, m'lave maintenant depuis le creux de l'estomac jusqu'à...

— Tu as brisé ton avenir. Le *Times* a imprimé cette affreuse lettre avec ta signature.

Un cri aigu et joyeux sortit du bain.

— Oh ! maman, faites voir !

On eut l'impression qu'un corps ruisselant s'agitait pour escalader précipitamment la baignoire. Francesca s'enfuit. Il est impossible d'arriver à quoi que ce soit en grondant un garçon de dix-neuf ans complètement humide et vêtu en tout et pour tout d'une serviette de bains et d'un nuage de vapeur.

Il vint un autre messager avant la fin du petit déjeuner de Francesca. Il apportait une lettre de sir Julian Jull qui s'excusait d'être obligé de se décommander.

CHAPITRE IV

Francesca était très fière de son aptitude à voir les choses d'un autre point de vue que le sien, ce qui revenait à dire, comme presque toujours, qu'elle pouvait voir son propre point de vue sous divers aspects. En ce qui concerne Comus, dont tous les faits et gestes occupaient l'essentiel des pensées de sa mère, elle s'était fait un tableau si précis de la façon dont il aurait dû envisager la vie qu'elle était spécialement hors d'état de comprendre la violence de ses sentiments ou les impulsions auxquelles ils obéissaient. Le Destin lui avait fait cadeau d'un fils ; en limitant le cadeau à un seul rejeton, le Destin avait fait preuve d'une modération que Francesca consentait parfaitement à reconnaître et qu'elle appréciait fort.

Francesca comparait mentalement son fils à des centaines d'autres jeunes gens qu'elle voyait dans son entourage ; ils étaient en train de passer sagement et sans doute joyeusement de l'état de gentil petit garçon à celui de citoyen utile. Beaucoup d'entre eux exerçaient un métier ou s'y préparaient avec application ; dans leurs moments de loisir, ils fumaient des cigarettes d'un prix raisonnable, prenaient des places à bon marché au music-hall, assistaient de temps en temps à un match de cricket au *Lord's* avec un intérêt évident, voyaient la plupart des événements spectaculaires par l'intermédiaire du cinéma et avaient l'habitude d'échanger en se séparant des injonctions apparemment superflues telles que : « Sois bien sage. » Tout Bond Street et la plupart des rues de Piccadilly qui en dépendent auraient pu disparaître du Londres actuel sans contrarier le moins du monde le cours de leurs emplettes quotidiennes. Comme relations, ils étaient incontestablement ternes, mais, comme fils, ils auraient été très reposants. Avec un sentiment d'irritation croissante, Francesca comparait ces jeunes gens pleins de mérite à son intraitable galopin, et elle se demandait pourquoi le Destin l'avait choisie pour mettre au monde cette déplaisante variété d'une espèce agréable et pratique. Dès qu'il s'agissait d'un travail rémunérateur, Comus imitait avec une dangereuse fidélité l'insouciance du lis des champs. Comme sa mère, il voyait autour de lui, avec une irritation mêlée d'envie, l'exemple offert par ses jeunes contemporains ; mais il concentrait toute son attention sur les milieux les plus cossus de son entourage, où les jeunes gens achetaient des autos et des poneys de polo avec la même facilité que Comus payait un œillet pour sa boutonnière ; ils allaient faire un tour au Caire ou dans la vallée du Tigre avec moins de difficulté et de complications financières qu'il ne lui en coûtait pour combiner un week-end à Brighton.

Un heureux caractère et un physique sympathique avaient permis à Comus de traverser sans encombre, et en somme agréablement, la vie scolaire et une succession périodique de vacances ; il disposait toujours des mêmes atouts pour continuer sa route, mais une constatation déconcertante s'imposait : ces atouts n'étaient pas suffisants pour voir toutes les portes s'ouvrir immédiatement devant soi. Dans un monde bestial, et un monde bestial où la concurrence jouait férocement, il fallait quelque chose de plus que le séduisant *abandon* du lis des champs, et c'était justement ce quelque chose de plus que Comus semblait ne pouvoir ou ne vouloir fournir personnellement ; c'était justement l'absence de ce quelque chose de plus qui l'incitait à accuser le Destin des accidents qui l'avaient arrêté sur ce qui devait être, à son avis, une marche triomphale ou tout au moins facile.

Francesca était, à sa manière, plus attachée à Comus qu'à personne au monde et, s'il avait été en train de se brunir la peau quelque part à l'est de Suez, elle aurait probablement embrassé sa photographie avec une ferveur sincère tous les soirs, avant de se coucher ; l'apparition d'une menace de choléra ou la rumeur d'un soulèvement indigène dans les colonnes de son journal quotidien auraient provoqué chez elle une palpitation d'inquiétude, et elle se serait comparée mentalement à une mère spartiate sacrifiant ce qu'elle a de plus cher sur l'autel de la raison d'État. Mais ce qu'elle avait de plus cher était installé sous son toit, occupait un espace invraisemblable et, au lieu d'offrir en sa personne la matière première d'un sacrifice, en demandait quotidiennement plusieurs ; les sentiments de sa mère étaient donc plus imprégnés d'irritation que d'affection. Elle aurait pu pardonner généreusement à Comus des méfaits assez graves commis dans un autre continent, mais il lui était impossible de ne pas observer que, s'il y avait cinq œufs de vanneau dans un plat, on pouvait être sûr qu'il en prendrait trois. Les absents ont peut-être toujours tort, mais ils ont rarement l'occasion de pécher par manque de réflexion.

C'est ainsi qu'un mur de glace s'était graduellement élevé entre la mère et le fils. Le jeune homme était doué d'un humour irrésistible quand il voulait s'en donner la peine, et, après une longue série de repas entrecoupés de caprices et de querelles, il lui arrivait de se répandre en un flot torrentiel de

commérages, de médisances et d'anecdotes malveil-
lantes, vrais ou généralement imaginaires, que Francesca écoutait avec une gourmandise d'autant plus
flatteuse qu'elle était accordée de fort mauvaise
grâce.

— Si tu choisissais tes amis dans un milieu plus
honorable, tu serais certainement beaucoup moins
amusant, mais il y aurait des compensations.

Francesca lança sèchement cette remarque à
déjeuner, un jour où elle s'était laissée aller à sourire
un peu plus largement que ne l'autorisait, à son avis,
l'attitude qu'elle avait prise à l'égard de Comus.

— Ce soir, je vais aller dans un milieu très
convenable, répondit Comus avec un gloussement de
satisfaction. Je vais dîner avec vous, oncle Henry et
des tas de gens élégants, ennuyeux et respectueux du
Seigneur.

Francesca eut un léger sursaut d'étonnement et de
contrariété.

— Tu ne veux pas dire que Caroline t'a invité à
dîner ce soir, fit-elle, et naturellement sans m'en
parler. Ça lui ressemble tout à fait !

Lady Caroline Benaresq avait atteint l'âge où l'on
peut dire et faire ce qui vous plaît au mépris de
l'opinion des gens.

Lady Caroline n'avait pourtant pas attendu d'arriver à cet âge pour adopter une telle ligne de
conduite ; elle sortait d'une famille dont chaque
membre traversait la vie depuis la nursery jusqu'à la
tombe avec autant de tact et d'égards que pourrait en
montrer une haie de cactus traversant une tente
bondée de baigneurs. Grâce à une heureuse compen-
sation, ces gens s'entendaient encore plus mal entre
eux qu'avec le monde extérieur ; toutes les variétés et
les nuances connues en politique et en religion
avaient, de gré ou de force, été mises à contribution
pour leur éviter toute possibilité d'accord sur les
points essentiels de la vie, et on s'emparait avec

reconnaissance d'événements aussi imprévus que le séparatisme irlandais, le soulèvement déchaîné par la réforme des tarifs douaniers, ou la croisade des suffragettes comme d'une source future de différences et de subdivisions. Le sujet de distraction favori de lady Caroline consistait à mettre en présence des éléments discordants et antagonistes, et à les exciter sans remords l'un contre l'autre.

— On obtient ainsi, disait-elle, de bien meilleurs résultats qu'en invitant des gens qui ont envie d'être ensemble. Il y a peu de gens qui parlent aussi brillamment pour convaincre un ami que pour vaincre un ennemi.

Elle reconnaissait que sa théorie perdait toute valeur si on l'appliquait aux débats parlementaires. Quand elle donnait un dîner, le succès de cette théorie se révélait généralement triomphal.

— Qui y aura-t-il d'autre ? demanda Francesca, avec une crainte bien excusable.

— Courtenay Youghal. Il sera probablement à côté de vous, n'oubliez donc surtout pas de mettre au point une bonne provision de remarques foudroyantes. Et Elaine de Frey.

— Je ne crois pas en avoir entendu parler. Qui est-ce ?

— Personne en particulier, mais une assez jolie fille dans le genre solennel, et d'une richesse presque indécente.

« Épouse-la », faillit s'écrier Francesca, mais elle se contint en avalant une amande salée, car elle avait constaté ce fait peu connu que l'usage de la parole semble quelquefois nous avoir été donné dans le seul dessein de contrarier nos projets.

— Caroline l'a probablement mise de côté pour Toby ou un de ses petits-neveux, dit-elle négligemment ; un peu d'argent ne ferait probablement pas de mal chez eux.

Comus avala sa lèvre inférieure avec une expression légèrement batailleuse en tout point conforme aux vœux de sa mère.

Un beau mariage était si évidemment la meilleure direction à prendre pour Comus qu'elle n'osait même espérer son consentement ; pourtant, il y avait une petite chance, s'il atteignait la phase du flirt avec une jeune fille attirante (et attirée) qui serait en même temps une héritière, que, l'extrême perversité de sa nature aidant, il se trouvât peut-être amené à formuler des propositions plus précises, ne serait-ce que pour pousser à l'arrière-plan d'autres prétendants plus sincèrement épris. C'était un faible espoir, si faible qu'elle eut même un instant l'idée de s'en remettre à sa *bête noire*, Courtenay Youghal, pour essayer d'utiliser l'influence qu'il semblait posséder sur Comus, en favorisant le projet qu'elle venait de concevoir rapidement. En tout cas, le dîner promettait d'être plus intéressant qu'elle ne l'avait tout d'abord prévu.

Lady Caroline était en politique une socialiste déclarée, surtout, croyait-on, parce qu'elle pouvait ainsi être en désaccord avec la plupart des libéraux et des conservateurs, et avec tous les socialistes du jour. Elle ne permettait pourtant pas à son socialisme de gagner le sous-sol ; sa cuisinière et son valet de chambre recevaient toutes sortes d'encouragements à l'individualisme.

C'était un grand dîner, et Francesca arriva tard, ce qui lui laissa peu de temps pour faire un inventaire préalable des invités ; une carte portant le nom « Miss de Frey » exactement en face d'elle de l'autre côté de la table indiquait cependant où se trouvait l'héritière. Obéissant à une des originalités de sa nature, Francesca lut d'abord attentivement le menu d'un bout à l'autre, puis elle se livra à un examen approfondi et non moins attentif, quoique plus discret, de la jeune fille qui était assise en face d'elle, cette jeune fille qui n'était personne en particulier, mais dont les revenus étaient hautement satisfaisants. Elle était jolie, avec des cheveux châtains, un genre réservé, et avait un air calme, grave et réfléchi qui masquait probablement un tempérament spéculatif encore instable. Son maintien, pour un observateur sans indulgence, était d'une négligence un peu trop étudiée. Elle portait quelques rubis parfaitement montés, avec cet air indéfinissable d'en avoir d'autres chez soi qui est si difficile à improviser. Francesca fut nettement satisfaite de son examen.

— Vous semblez vous intéresser à votre *vis-à-vis*, dit Courtenay Youghal.

— J'ai l'impression de l'avoir déjà vue quelque part, son visage m'est familier.

— *La Grande Galerie du Louvre,* attribué à Léonard de Vinci, dit Youghal.

— Naturellement, dit Francesca dont les sentiments étaient partagés entre la satisfaction qu'apporte la mise au point d'une impression fugitive et l'ennui d'être redevable de ce service à Youghal.

Un sentiment de contrariété plus accentué s'empara de Francesca quand elle entendit la voix d'Henry Greech qui dominait non sans mal le bout de table de lady Caroline.

— Je suis passé hier chez les Trudham, annonçat-il, c'était le jour de leurs noces d'argent, ou du moins le lendemain. Ils ont reçu une quantité invraisemblable d'objets en argent, une véritable exposition. Il y avait naturellement beaucoup d'objets en double, mais ils ont dû être contents de les recevoir tout de même. Je crois qu'ils étaient ravis d'en avoir une telle quantité.

— Nous ne les chicanerons pas sur leur exposition de cadeaux après leurs vingt-cinq années de vie conjugale, dit doucement lady Caroline ; c'est un fil d'argent autour de leur nuage.

Un tiers des invités présents était apparenté aux Trudham.

— Lady Caroline commence bien, murmura Courtenay Youghal.

— Je ne peux guère qualifier de nuage vingt-cinq années de vie conjugale, dit gauchement Henry Greech.

— Ne parlons pas de la vie conjugale, dit une jeune femme qui ressemblait à la déesse Bellone vue par un peintre moderne ; pour mon malheur, j'écris éternellement des histoires de maris et de femmes de toutes espèces. C'est ce que mes lecteurs attendent de moi. J'envie tellement les journalistes qui peuvent écrire des histoires de fléaux, de grèves, de complots anarchistes et autres réjouissances, au lieu d'être astreints à un vieux sujet rebattu.

— Qui est cette femme et qu'a-t-elle écrit ? demanda Francesca à Youghal.

Elle se rappelait vaguement avoir vu cette jeune femme à une des réunions de Serena Golackly, entourée d'une petite cour d'admirateurs.

— Je ne sais plus son nom, elle a une villa à San Remo, ou à Menton, ou quelque part où il est de bon ton d'avoir des villas, et joue remarquablement bien au bridge. Elle a aussi la réputation, assez rare chez les personnes de votre sexe, de s'y connaître admirablement en vins.

— Mais qu'a-t-elle écrit ?

— Oh ! plusieurs romans dans le genre le plus scabreux. Son dernier, *La Dame qui désirait que ce soit dimanche,* a été interdit dans toutes les bibliothèques. Je pense que vous l'avez lu.

— Je ne vois pas ce qui vous le fait croire, dit froidement Francesca.

— Simplement le fait que Comus m'a prêté votre exemplaire, dit Youghal.

Il rejeta sa belle tête en arrière et lança sur Francesca un coup d'œil oblique, railleur et amusé. Il savait qu'elle était furieuse de son intimité avec Comus, et il était secrètement assez fier de son influence sur lui, bien qu'il n'ignorât pas combien elle était superficielle et négative. Pour sa part, il n'avait pas recherché cette intimité et elle était probablement appelée à s'effondrer dès qu'il essaierait sérieusement de jouer le rôle de mentor. La façon évidente dont Francesca la désapprouvait était probablement le principal attrait de cette amitié aux yeux du jeune politicien.

Francesca tourna son attention vers le bout de table de son frère. Henry Greech avait volontiers mis à profit l'invitation à laisser le sujet de la vie conjugale, et il s'était lancé incontinent sur le thème non moins rebattu de la politique actuelle.

— Nos adversaires sont obligés de gravir la pente ardue d'un combat sans espoir, et ils le savent, susurra-t-il d'un air de défi, ils sont dominés, comme les pourceaux de Gadara[1], par toute une légion de…

— Mais, est-ce que les pourceaux de Gadara ne descendaient pas la pente ? lança lady Caroline avec une curiosité pleine d'innocence.

Henry Greech abandonna précipitamment les comparaisons pour se rabattre sur les platitudes et les faits d'une espèce moins dangereuse.

Francesca ne considérait pas les vues de son frère sur la politique comme l'Évangile ou la Révélation ; ainsi que Comus l'avait une fois remarqué, elles suggéraient plus souvent l'Exode. Dans la circonstance, elle trouva un sujet de distraction dans un nouvel examen approfondi de la jeune fille qui lui faisait face, et qui ne semblait prêter qu'un intérêt modéré aux efforts de ses voisins pour entretenir la conversation. Comus, très à son avantage sous le rapport du physique et de la conversation, était assis à l'extrémité de la table, et Francesca ne tarda pas à

1. A Gadara, Jésus chassa les démons du corps d'un possédé pour les transporter dans un troupeau de pourceaux qui se précipita dans la mer (Matthieu, VIII, 28-34).

remarquer la direction dans laquelle s'égaraient les regards de la jeune fille. Une ou deux fois, les yeux des jeunes gens se rencontrèrent et une rapide rougeur de plaisir, accompagnée d'un demi-sourire exprimant clairement leur bonne entente, colora le visage de l'héritière. Francesca n'eut pas besoin d'avoir recours au don d'intuition traditionnel de son sexe pour deviner que la jeune fille au compte en banque avantageux était extrêmement attirée par le jeune païen débordant de vie qui avait, quand il voulait s'en donner la peine, un art extraordinaire de gagner l'admiration. Pour la première fois depuis de nombreux, nombreux mois, Francesca vit l'avenir de son fils en rose et elle commença inconsciemment à se demander quelle fortune pouvait bien exactement représenter l'étiquette expressive « d'une richesse presque indécente ». Une femme pourvue d'une fortune vraiment considérable, et aussi bien douée sous le rapport du caractère et de l'ambition, pourrait peut-être réussir à engager les énergies latentes de Comus dans une voie qui lui procurerait sinon une carrière, du moins une occupation ; et le jeune visage sérieux que Francesca voyait en face d'elle ne semblait pas appartenir à une personne sans caractère ou sans ambition. Les réflexions de Francesca prirent un tour plus personnel. On pourrait éventuellement extraire des coffres bien garnis avec lesquels jouait son imagination une somme insignifiante qui serait consacrée à la location, ou même peut-être à l'achat de la maison de Blue Street, quand l'arrangement actuel aurait pris fin, et ni Francesca ni le Van der Meulen ne seraient ainsi obligés de chercher une nouvelle résidence.

Une voix féminine, qui chuchotait discrètement de l'autre côté de Courtenay Youghal, interrompit la construction du pont de Francesca.

— Des tonnes d'argent, et vraiment très présentable. La femme parfaite pour un jeune politicien d'avenir. Allez-y et prenez-la, avant qu'elle devienne la proie d'un quelconque coureur de dot.

Youghal et son professeur de sagesse mondaine regardaient par-dessus la table la jeune fille de Léonard de Vinci, aux yeux graves et réfléchis, aux gestes artificiellement désinvoltes. Francesca fut prise d'un rapide élan de colère contre la faiseuse de mariage qui se trouvait près d'elle ; pourquoi, se demanda-t-elle, certaines femmes ont-elles besoin, sans aucun but ni avantage personnel, de participer à des complots et des machinations de ce genre, où le bonheur de plusieurs personnes est en jeu ? Et Francesca réalisa plus clairement que jamais combien elle haïssait Courtenay Youghal. Elle l'avait détesté comme une influence diabolique, plaçant devant son fils un exemple d'ambition brillante qu'il n'était absolument pas capable de suivre, et lui donnant un modèle de dandysme extravagant qu'il devait inévitablement copier. Au fond de son cœur, Francesca savait que son fils aurait sans doute suivi exactement sa route actuelle de complaisance envers soi-même et d'oisiveté, s'il n'avait jamais entendu parler de Youghal, mais elle préférait considérer le jeune homme comme le génie du mal de son fils, et, à présent plus que jamais, il semblait probable que Youghal allait justifier le caractère qu'elle lui prêtait. Pour une fois dans sa vie, Comus semblait envisager de se conduire raisonnablement et de profiter des occasions ; or, presque au même instant, Courtenay Youghal arrivait sur la scène comme un rival possible et très dangereux. A la beauté de Comus et aux dons intermittents de fascination qu'il pouvait mettre dans la balance, le jeune politicien pouvait opposer une douzaine de qualités éblouissantes qui étaient de nature à le servir puissamment aux yeux d'une femme du monde, et encore plus aux yeux d'une jeune fille à la recherche d'un idéal. Très séduisant dans son genre, avec pourtant moins d'éclat que

Comus, toujours élégant, spirituel, sûr de lui sans être prétentieux, ayant déjà un nom dans la politique, et Dieu sait quoi devant lui, Courtenay Youghal n'était certainement pas un rival dont les chances pouvaient être tenues pour négligeables. Francesca rit amèrement lorsqu'elle se souvint qu'elle avait envisagé quelques heures plus tôt de lui demander d'user de ses bons offices pour servir les amours de Comus. Elle se trouva du moins une consolation : si Youghal avait vraiment l'intention d'intervenir pour tenter d'éclipser son jeune ami, ce dernier avait, en tout cas, pris un bon départ. Comus avait mentionné Miss de Frey aujourd'hui à déjeuner, par hasard et sans passion ; s'il n'avait pas été question des invités du dîner, il ne l'aurait probablement pas mentionnée du tout. Mais il était évident qu'ils étaient déjà très bons amis. C'était uniquement à cause de l'état de tension domestique qui régnait à Blue Street que Francesca avait entendu parler de cette très intéressante héritière, par suite d'un assemblage fortuit d'invités à un dîner.

La voix de lady Caroline interrompit les réflexions de Francesca ; c'était une voix douce et ronronnante, qui possédait la remarquable qualité de pouvoir se faire entendre de tous les invités d'un dîner, quelle que fût la longueur de la table.

— Ce cher archidiacre devient vraiment très distrait. Dimanche dernier, comme première lecture [1], il a lu une liste des gens qui ont leur loge à l'Opéra au lieu des familles et des nombreuses tribus d'Israël qui sont entrées à Canaan. Heureusement personne ne s'est aperçu de l'erreur.

---

1. Dans le service anglais, l'Évangile est lu en deux parties : la première consacrée à l'Ancien Testament et la deuxième au Nouveau.

CHAPITRE V

Sur un banc suffisamment isolé qui faisait face aux faisans nordiques des jardins de la Société zoologique à Regent's Park, Courtenay Youghal était assis, plongé dans un flirt poussé avec une femme qui, bien qu'elle fût certainement jeune en fait, était son aînée de quatre ou cinq ans. Lorsqu'il était un collégien de seize ans, Molly MacQuade l'avait elle-même conduit au Zoo, elle lui avait ensuite payé à dîner chez Kettner et, chaque fois qu'il leur arrivait de se trouver en ville pour l'anniversaire de cette réjouissance passée, ils en répétaient religieusement le programme d'un bout à l'autre. Même le menu du dîner était respecté dans la mesure du possible.

Ce flirt qui recommençait ainsi perpétuellement sur le même pied qu'autrefois devait plus sa longévité à la sollicitude entreprenante de Miss MacQuade qu'à un effort sentimental et conscient de Youghal lui-même. Molly MacQuade avait la réputation parmi ses voisins, dans un petit comté où l'on chassait beaucoup, d'appartenir à ce genre de jeunes femmes intrépides qui pratiquent un non-conformisme des plus conformistes, et qui entrent naturellement dans la catégorie « bonne fille ». Elle était tout juste assez jolie, assez discrète quant à ses propres maladies, lorsqu'elle en avait, et assez élogieuse au sujet des jardins, des enfants et des chiens de chasse de ses voisins pour être généralement recherchée. Elle plaisait à presque tous les hommes, et le pourcentage des femmes à qui elle déplaisait n'était pas assez élevé pour être gênant. Un de ces jours, se disait-on, elle épousera un brasseur ou un grand maître de la Vénerie, et, après un bref intervalle, sera pour tout le monde la mère d'un ou deux étudiants d'un collège distingué. Ses voisins de campagne ne soupçonnaient même pas le côté romanesque de sa nature.

Ses romans se présentaient surtout par séries et leurs cours parallèles les privaient peut-être en force de ce qu'ils gagnaient en durée. L'intérêt affectueux que Molly portait aux divers jeunes gens qui jouaient un rôle dans ses affaires de cœur était parfaitement honnête, et elle n'envisageait certainement pas de leur cacher qu'ils n'étaient pas seuls, ou de se servir des uns contre les autres. On ne pouvait pas davantage dire qu'elle faisait la chasse aux maris ; Molly avait pris son parti du genre d'homme qu'elle épouserait probablement un jour, et ses prévisions ressemblaient beaucoup à celles de ses connaissances locales. Si sa vie conjugale devait éventuellement se révéler un échec, du moins n'en attendait-elle que des satisfactions très modérées. Molly mettait ses affaires de cœur sur un plan tout différent, et c'était manifestement l'élément de sa vie devant lequel tout le reste disparaissait. Elle possédait ce tempérament heureusement constitué qui permet à celui qui en est doué, quel que soit son sexe, d'être « pluraliste », et de ne pas mettre tous ses œufs dans le même panier. Molly n'était pas exigeante ; elle demandait à l'âme sœur d'être jeune, distinguée et au moins modérément distrayante. Molly aurait préféré qu'il lui fût invariablement fidèle, mais elle savait par son propre exemple qu'il était probable et même à peu près certain qu'il n'en serait rien. La philosophie du

Jardin de Kama[1] était la boussole qui lui servait à diriger sa barque, et, jusqu'alors, si Molly avait quelquefois dû faire face à la mer démontée ou à l'orage, du moins n'avait-elle ni fait naufrage ni été forcée de chercher un abri.

Courtenay Youghal n'avait pas été destiné par la nature à jouer le rôle de l'amoureux ardent ou dévoué, et il respectait scrupuleusement les limites fixées par la nature. Il rendait pourtant à Molly une partie de son affection. Elle l'avait toujours visiblement admiré sans jamais l'obséder d'une flatterie grossière ; la principale raison qui avait permis à ce flirt de supporter l'épreuve de tant d'années, c'était surtout le fait qu'il ne brillait d'une existence réelle qu'à des intervalles suffisamment espacés. A une époque où le téléphone a miné presque tous les bastions de la vie privée, et où chacun voit souvent sa retraite à la merci des plus ou moins grandes dispositions pour l'art de mentir avec tact d'un groom de club, Youghal appréciait à sa valeur le fait que la dame de ses pensées passât une bonne partie de l'année à poursuivre les renards au lieu de le poursuivre. De plus, Molly admettait honnêtement que, dans sa chasse à l'homme, elle courait plusieurs lièvres à la fois, ce qui faisait de leur rupture inévitable un sujet qu'ils pouvaient tous deux envisager sans avoir l'impression que la gêne et les récriminations allaient venir. Quand le temps d'effeuiller la marguerite devrait prendre fin, aucun des deux ne pourrait accuser l'autre d'avoir brisé toute sa vie. En mettant les choses au pis, ils auraient tout au plus désorganisé un week-end.

En cet après-midi-là, après le défilé des vieux souvenirs, entrecoupé par le récit rituel des potins de

1. Dieu de l'Amour chez les Hindous. Parmi ses divers attributs se trouve un arc dont chaque flèche est terminée par une fleur différente.

ces derniers mois, une accalmie dans la conversation se manifesta avec une certaine obstination. Molly avait déjà deviné que les choses étaient sur le point d'entrer dans une phase nouvelle ; il y avait long-temps que leur intrigue était arrivée à maturité, une nouvelle phase ne pouvait donc signifier que son déclin.

— Tu es vraiment un animal astucieux, dit-elle soudain, avec un air de regret affectueux, j'ai tou-jours été sûre que tu ferais ton chemin à la Chambre, mais je ne m'attendais guère à ce que tu deviennes si vite un homme en vue.

— Je commence à être un homme en vue, admit impartialement Youghal, mais pourrai-je le rester ? C'est le problème. Si rien ne change avant peu du point de vue financier, je ne vois pas comment je pourrai rester au Parlement. Il ne peut être question de faire des économies. Je crois que cela ouvrirait les yeux des gens s'ils savaient la vérité sur mes moyens d'existence. Et je vis tellement au-dessus de mes revenus qu'on pourrait presque dire que nous vivons séparément.

— Je suppose qu'il faudra une femme riche, dit lentement Molly ; ce qu'il y a de plus ennuyeux dans le succès, ce sont les nombreuses conditions qu'il impose. Je me doutais bien, d'après un certain changement dans tes manières, que tu allais en échouer là.

Youghal n'essaya pas de la contredire ; il contem-plait fixement la volière qui se trouvait devant lui, comme si les faisans exotiques étaient le sujet le plus absorbant du monde. En fait, son esprit était concen-tré sur l'image d'Elaine de Frey, ses yeux clairs et paisibles, et son genre Léonard de Vinci. Il se demandait s'il était possible qu'il ressentît un jour pour elle quelque chose qui ressemblerait un tant soit peu à de l'amour.

— J'aurai beaucoup de chagrin, continua Molly

après un moment de silence, mais, évidemment, j'ai toujours pensé qu'une histoire de ce genre devait arriver un de ces jours. Quand un homme entre dans la politique, son âme ne lui appartient plus, et je suppose que son cœur devient propriété publique de la même manière.

— La plupart des gens qui me connaissent te diraient que je n'ai pas de cœur, dit Youghal.

— J'ai souvent été tout près de leur donner raison, dit Molly, et puis, de temps en temps, je pense que tu as un cœur bien enfoui quelque part.

— Je l'espère, dit Youghal, car voici l'événement que j'essaie de t'annoncer depuis quelques instants : je crois que je suis en train de tomber amoureux de quelqu'un.

Molly MacQuade se tourna rapidement pour regarder son compagnon qui avait toujours les yeux fixés sur la ronde des faisans en face de lui.

— Ne me raconte pas que tu as perdu la tête pour quelqu'un qui ne peut t'être d'aucun secours, pour une femme qui n'a pas le sou, dit-elle. Je ne crois pas que je pourrais supporter ça.

Elle craignit alors que l'égoïsme de Courtenay eût peut-être pris une forme inattendue, dans laquelle l'ambition aurait cédé la place à la fantaisie du moment ; il allait peut-être sacrifier sa carrière parlementaire à une vie de flânerie stupide avec une compagne temporairement attirante.

Il la détrompa rapidement.

— Elle a des masses d'argent.

Molly émit un grognement de soulagement. C'était parce qu'elle aimait Courtenay que Molly avait posé sa première question ; une jalousie bien naturelle lui inspira la suivante.

— Est-elle jeune, belle et le reste, ou est-ce seulement une bonne fille qui a un genre cordial et de jolis yeux ? C'est, en règle générale, le type de femme qui va avec beaucoup d'argent.

54

— Jeune, très jolie dans son genre et un style bien personnel. Il y a des gens qui la trouveraient magnifique. Comme maîtresse de maison, femme d'un homme politique, il me semble qu'elle serait splendide. Je crois que je suis presque amoureux d'elle.

— Et elle, est-ce réciproque ?

Youghal rejeta la tête en arrière en faisant le léger mouvement affirmatif que Molly connaissait bien et qu'elle aimait.

— C'est une fille qui doit être, à mon avis, très sensible à l'influence de la raison. Et, sans être d'une fatuité stupide, je crois pouvoir affirmer qu'elle pourrait faire plus mal que de se donner à moi. Je suis jeune, très distingué et je me fais un nom à la Chambre ; elle pourra lire toutes sortes de gentillesses et d'horreurs à mon sujet dans les journaux pendant le petit déjeuner. Je peux être brillant et amusant à certains moments, mais je comprends la valeur du silence ; il n'y a pas à redouter que je dégénère un jour en cette chose redoutable : un mari bavard et gai. Pour une fille qui a de l'argent et des ambitions mondaines, il me semble que je suis plutôt un bon parti.

— Tu es certainement amoureux, Courtenay, dit Molly, mais c'est l'ancien amour, et non un nouveau. Je suis plutôt contente. J'aurais été furieuse de te voir la tête à l'envers pour une jolie femme, même si cela ne devait pas durer longtemps. Tu seras beaucoup plus heureux comme cela. Et je vais mettre mes sentiments de côté pour te dire : vas-y et bonne chance. Il faut que tu épouses une femme riche et, si elle est jolie et qu'elle doit faire une bonne maîtresse de maison, c'est tant mieux pour tout le monde. Tu seras beaucoup plus heureux dans ta vie conjugale que moi dans la mienne, quand l'heure en sera venue ; tu auras d'autres sujets d'intérêt qui t'absorberont. Je n'aurai que le jardin, la laiterie, la nursery et le cabinet de lecture qui ressembleront comme deux gouttes d'eau à tous les jardins, toutes les laiteries et toutes les nurseries à des centaines de miles à la ronde. Tu ne tiendras pas assez à ta femme pour te tourmenter chaque fois qu'elle aura mal au doigt, et tu l'aimeras assez pour être content de la rencontrer quelquefois chez toi. Cela ne m'étonnerait pas que tu sois très heureux. Elle sera probablement malheureuse, mais c'est le sort de toute femme qui t'épousera.

Il y eut alors un court silence ; ils regardaient tous deux fixement la cage des faisans. Puis, Molly reprit la parole sur le ton vif et nerveux d'un général qui change rapidement la disposition de ses forces pour une retraite stratégique.

— Quand tu seras bien installé dans le mariage, après ta lune de miel et tout le reste, quand ta femme t'aura prouvé qu'elle est capable de tenir un salon politique et quand la Chambre ne siégera pas, il faudra que tu viennes un jour chasser un peu avec nous. Veux-tu ? Ce ne sera pas tout à fait comme autrefois, mais ce sera un sujet d'espérance pour moi quand je lirai les interminables paragraphes consacrés à ton élégant mariage politique.

— Tes espérances vont assez loin, dit Youghal en riant, la jeune fille en question est peut-être de ton avis quant au malheur qui attend probablement celle qui partagera mon avenir, et il faudra peut-être que je me contente d'un minable célibat politique. En tout cas, le présent est encore à nous. Nous dînons ce soir chez Kettner, n'est-ce pas ?

— Bien sûr, dit Molly, quoique, pour ma part, j'aie peur d'avoir la gorge un peu trop serrée pour faire honneur au festin. Il faudra que nous buvions à la santé de la future Mrs. Youghal. A propos, c'est bien ton genre de ne pas m'avoir dit son nom, et c'est bien le mien de ne pas l'avoir demandé. Et, maintenant, va-t'en au trot, et laisse-moi comme un bon petit garçon. Ce n'est pas encore le moment de te dire au revoir, mais je vais faire tranquillement mes adieux à la Faisanderie. Nous avons rudement bien bavardé là tous les deux, sur ce banc, n'est-ce pas ? Et je sais parfaitement que c'est la dernière fois. Huit heures ce soir ; sois aussi exact que possible.

Elle contempla la silhouette qui battait en retraite avec des yeux qui se couvraient lentement de brume. Youghal avait été un camarade sympathique et agréable, et ils avaient passé de si bons moments ensemble. La brume devint plus dense sur les cils de Molly pendant qu'elle regardait autour d'elle le rendez-vous familier où ils s'étaient si souvent rencontrés depuis le jour où ils étaient venus ensemble pour la première fois, quand Youghal n'était qu'un collégien et qu'elle n'avait guère plus de vingt ans. Pour le moment, elle se sentait en proie à un réel chagrin.

Alors, avec l'admirable énergie de quelqu'un qui n'est en ville que pour une quinzaine fugitive, elle s'enfuit à toute vitesse pour prendre le thé à son club avec un voyageur au long cours de ses admirateurs.

Le « pluralisme » est un narcotique plein de miséricorde.

CHAPITRE VI

Elaine de Frey était assise confortablement (au moins en ce qui concernait son corps) dans une chaise basse en osier, placée à l'ombre d'un groupe de cèdres, au cœur d'un majestueux et vaste jardin qui pouvait presque prétendre au nom de parc. Il y avait au premier plan, bien en évidence, une vieille fontaine au petit bassin de pierre dont le rebord s'ornait d'une loutre de plomb qui dévorait perpétuellement un saumon de plomb. Autour de la margelle, courait une inscription en latin, prévenant les mortels que le temps s'écoule aussi vite que l'eau, et les exhortant à tirer le meilleur parti possible des heures qu'il leur laisse ; après cet échantillon de morale jacobite, l'inscription s'efforçait sans honte d'inciter tous les passants à s'abandonner au repos contemplatif. De tous les côtés de l'inscription, courait un trait de gazon fin, brisé çà et là par des groupes de châtaigniers et de mûriers, dont les feuilles et les branches projetaient sous elles un dessin dentelé d'ombre.

A côté de la chaise d'Elaine, à l'ombre des cèdres, se trouvait une table d'osier portant les divers accessoires du thé de l'après-midi. Courtenay Youghal était étendu aux pieds d'Elaine sur des coussins ; il était soigneusement lissé, d'une élégance juvénile et personnifiait le repos décoratif.

Egalement décoratif, mais avec la brillante agitation d'une libellule, Comus déplaçait sa personne vêtue de flanelle sur une fraction importante du premier plan disponible.

L'intimité qui existait entre les deux jeunes gens n'avait pas subi une rupture immédiate du fait qu'ils courtisaient tacitement la même personne. C'était une intimité qui ne reposait en rien sur l'amitié ou sur une communauté de goûts et d'idées ; elle devait son existence au fait que chacun trouvait l'autre amusant et intéressant. Pour Youghal, Comus était, au moins provisoirement, tout aussi amusant et intéressant comme rival dans les bonnes grâces d'Elaine que dans son rôle précédent de mauvais sujet pour endroits à la mode. Comus, pour sa part, ne voulait pas perdre contact avec Youghal qui se recommandait, entre autres attractions, par le veto de Francesca. Elle désapprouvait, il est vrai, une quantité importante des amis de son fils, mais celui-ci était pour Francesca une source spéciale et persistante d'irritation parce qu'il figurait ostensiblement et avec plus ou moins de succès dans la vie politique du jour. Il y avait quelque chose de particulièrement exaspérant dans la lecture d'une attaque brillante et incisive contre les dépenses inconsidérées du gouvernement, attaque prononcée par un homme qui encourageait le fils de Francesca à toutes les extravagances imaginables. L'intensité de l'influence que Youghal possédait alors sur le jeune homme était des plus faibles ; Comus était tout à fait capable de puiser un encouragement aux dépenses inconsidérées et à la conversation frivole chez un anachorète ou chez un pasteur de l'East End, s'il avait connu intimement un individu de ce genre. Francesca exerçait pourtant un privilège maternel en supposant que les célibataires qui fréquentaient son fils étaient pleins de zèle et d'ingéniosité pour achever la perte de Comus. Le jeune politicien était donc pour elle une source d'ennui non dissimulée ; et, plus Francesca désapprouvait l'intimité de son fils avec Youghal, plus Comus tenait à la prolonger et à l'exhiber. L'existence de cette intimité, ou plutôt son existence actuelle, était une des choses qui troublaient légèrement Elaine, car il semblait, à première vue, que les bonnes grâces de la jeune fille allaient fournir à cette intimité une occasion de dissolution rapide.

Avec deux soupirants en même temps, dont l'un au moins lui inspirait un attrait prononcé, Elaine aurait pu avoir d'excellentes raisons d'être en bons termes avec le monde en général et avec elle-même en particulier. Le bonheur n'était pourtant pas ce qui dominait chez elle en cet instant propice. Le calme de son visage masquait, comme d'habitude, un certain degré de graves perturbations. Une succession de gouvernantes pleines de bonnes intentions et une profusion de tantes prêcheuses appartenant aux deux côtés de sa famille avaient gravé comme un principe dans le jeune esprit d'Elaine que la richesse est une grande responsabilité. La conscience de sa responsabilité amenait Elaine à s'interroger continuellement, non sur ses aptitudes personnelles de « gestionnaire », mais sur les mobiles et les mérites des gens qu'elle rencontrait. Elaine savait qu'il y avait beaucoup de choses sur terre qu'elle pouvait acheter, et cela l'invitait à se demander combien valaient la peine d'être achetées. Graduellement, elle en était venue à regarder sa raison comme une sorte de cour d'appel qui jugeait et examinait les mobiles et les actions de l'humanité ; les mobiles surtout. Lorsque Elaine était en classe, elle avait consciencieusement jugé les mobiles qui avaient guidé ou égaré Charles, Cromwell et Monk, Wallenstein et Savonarole. A l'heure actuelle, Elaine se consacrait impartialement à examiner la sincérité politique du ministre des Affaires étrangères, l'honnêteté d'une femme de chambre dont le langage mielleux n'empêchait peut-être pas l'affection sincère, et le désintéressement de tout un cercle de relations indulgentes et flatteuses. Plus absorbant encore et, à ses yeux, d'une nécessité plus urgente, était le devoir de disséquer et d'apprécier le caractère des deux jeunes gens qui l'honoraient de leurs attentions. Et il y avait là matière à bien des réflexions et bien des inquiétudes. Youghal, par exemple, aurait pu dérouter un observateur plus averti de la nature humaine. Elaine était trop intelligente pour confondre son dandysme avec de la fatuité ou quelque désir de se faire remarquer. Il admirait l'effet de ses vêtements dans un miroir avec le sentiment de plaisir sincère que procure une chose agréable à regarder, exactement comme il aurait apprécié la vue d'une paire de chevaux bien nourris, bien assortis et bien soignés. Derrière sa légèreté et son cynisme politique soigneusement étudiés, on pouvait aussi découvrir une certaine sincérité insouciante qui le sauverait probablement à la longue d'un succès médiocre pour en faire un des échecs retentissants de son époque. A part cela, il était difficile d'évaluer exactement Courtenay Youghal, et Elaine, qui aimait avoir des impressions étiquetées et classées avec méthode, cherchait perpétuellement à percer l'enveloppe superficielle de ses comportements et de ses propos, comme un critique d'art embarrassé recherche vainement sous le vernis et les éraflures d'une toile d'attribution douteuse une signature révélatrice. Le jeune homme ajoutait à ses incertitudes un parti pris délibéré de ne jamais se montrer sous un jour favorable, même quand il désirait le plus produire une impression favorable. Il préférait que les gens se donnassent la peine de suivre ses qualités à la piste, et il se bornait à s'arranger pour qu'ils ne rentrassent pas bredouilles. Même à propos de l'égoïsme qui constituait la pierre angulaire de son existence, il s'arrangeait de manière à se faire valoir, et à se faire valoir à juste titre, pour son talent d'accomplir des actions altruistes. Dans la politique, il avait des chances de connaître une relative popularité ; comme mari, il serait probablement insupportable.

Comus était, dans une certaine mesure, aussi parfaitement décevant que Youghal, mais, là, Elaine ne pouvait s'en prendre qu'à elle-même pour les incertitudes qui enveloppaient le personnage à ses yeux. Elle avait conçu un peu plus qu'un caprice passager pour le jeune homme (ou plutôt pour le jeune homme qu'il aurait pu être) et elle se refusait désespérément à le voir comme il était et à l'estimer à sa juste valeur. C'est pourquoi sa cour d'appel intérieure était constamment occupée à entendre des témoins de moralité qui, pour la plupart, se montraient résolument incapables de lui accorder une déposition propre à corroborer le jugement favorable auquel le tribunal désirait tant s'arrêter. Une femme qui aurait possédé une plus large expérience des procédés et des insuffisances du monde se serait probablement contentée de peser en toute conscience si son goût pour le jeune homme l'emportait sur son manque de goût pour son comportement ; mais Elaine prenait ses jugements trop au sérieux pour aborder la question d'une manière aussi simple et aussi pratique. Comme elle était plus qu'à moitié amoureuse de Comus, elle tenait beaucoup à découvrir en lui une âme qu'on pût aimer, et Comus, il faut l'avouer, ne faisait pas grand-chose pour l'amener à cette découverte.

« En tout cas, il est honnête », se disait-elle souvent après avoir reconnu avec franchise qu'il était totalement dénué de principes, et elle se rappelait alors avec honte certains épisodes où il avait joué un rôle d'où l'honnêteté était manifestement absente. Ce qu'elle essayait, dans sa candeur, de désigner sous le nom d'honnêteté n'était probablement qu'un mépris cynique des lois du bien et du mal.

— Vous avez l'air plus rêveur que d'habitude cet après-midi, lui dit Comus. On dirait que vous avez inventé ce jour d'été, et que vous essayez d'imaginer des perfectionnements.

— Si j'avais le pouvoir de perfectionner quoi que ce soit, je crois que je commencerais par vous, répliqua Elaine.

— Je suis sûr qu'il vaut beaucoup mieux me laisser comme je suis, protesta Comus, vous êtes comme un membre de ma famille qui habite l'Argyllshire, il passe son temps à fabriquer des races perfectionnées de moutons, de cochons et de poulets. Il me semble que cette manière condescendante de mettre la dernière main à la création doit exaspérer le Tout-Puissant.

Elaine fronça le sourcil, puis elle rit et, enfin, soupira légèrement.

— Ce n'est pas facile de vous parler raison, dit-elle.

— Quoi que vous fassiez, dit Youghal, ne perfectionnez surtout pas ce jardin. C'est ainsi que nous pourrions nous figurer le ciel si les Juifs ne nous en avaient inventé un d'un genre tout différent. Il est vraiment dommage que nous soyons obligés de les accepter comme imprésarios de nos rêves religieux au lieu des Grecs.

— Vous n'aimez pas beaucoup les Juifs, dit Elaine.

— J'ai voyagé, et j'ai beaucoup vécu dans l'est de l'Europe, dit Youghal.

— Il semble bien que ce soit surtout une question de géographie, dit Elaine. En Angleterre, personne n'est vraiment antisémite.

Youghal secoua la tête.

— Je connais beaucoup de Juifs qui le sont.

Les domestiques avaient disposé le thé et ses accessoires sur la table d'osier dans un silence presque religieux, puis ils s'étaient silencieusement retirés du paysage. Elaine resta sur son siège comme une jeune déesse grave qui va dispenser quelque mystérieux breuvage à ses fidèles. Son esprit n'avait pas encore rendu son verdict sur la question juive.

Comus se leva brusquement.

— Il fait trop chaud pour boire du thé, dit-il, je vais aller donner à manger aux cygnes.

Et il s'éloigna avec une petite corbeille d'argent qui contenait du pain noir.

Elaine rit silencieusement.

— C'est bien le genre de Comus de s'en aller avec notre seul plat de tartines.

Youghal émit un léger ricanement d'approbation. C'était pour lui une occasion incontestable de lancer quelques critiques peu flatteuses au sujet de Comus, et Elaine se tenait aux aguets, prête à juger le critique et à réserver son jugement sur le critiqué.

— Son égoïsme est magnifique, mais absolument futile, dit Youghal, tandis que mon égoïsme est banal, mais toujours parfaitement pratique et calculé. Il aura beaucoup de mal à faire accepter son offrande aux cygnes, et il se donne le rôle odieux de nous réduire à la condition d'être sans tartines. De plus, il aura très chaud.

Elaine se sentit, une fois de plus, complètement déroutée. Si Youghal avait dit quelque chose de désagréable, c'était contre lui-même.

— Si ma cousine Suzette avait été là, dit-elle avec un léger sourire malicieux sur les lèvres, je crois qu'elle aurait salué d'un flot de larmes la disparition des tartines, et Comus serait éternellement demeuré dans son esprit un être sombre, malfaisant et haïssable. En réalité, je ne sais d'ailleurs vraiment pas pourquoi nous avons si facilement accepté cette disparition.

— Pour deux raisons, dit Youghal, vous aimez bien Comus, et je n'aime pas beaucoup les tartines.

Le cœur d'Elaine palpita de plaisir à cette remarque ironique. Elle savait déjà parfaitement qu'elle tenait à Comus mais, depuis que Courtenay Youghal avait proclamé ouvertement le fait, comme une chose établie sur laquelle il n'y avait pas à revenir, la question prenait immédiatement un tour plus précis. Le jardin que le soleil inondait de lumière et de chaleur se transforma soudain en un lieu céleste qui détenait le secret du bonheur éternel.

Elaine but son thé en silence, le cœur plein de joie ; Youghal n'était pas seulement un brillant causeur, il avait aussi le talent plus rare de savoir se taire à l'occasion.

Comus traversa la pelouse pour revenir ; la corbeille vide se balançait dans sa main.

— Les cygnes ont été ravis, cria-t-il gaiement, et ils ont dit qu'ils espéraient que je garderais le plat à tartines en souvenir d'un bon goûter. Je peux le prendre, n'est-ce pas ? continua-t-il d'une voix inquiète. Il sera très pratique pour mettre des boutons et un tas de choses. Vous n'en avez pas besoin.

— Il est marqué au chiffre de la famille, dit Elaine.

Ses yeux ne reflétaient plus la même joie.

— Je le ferai effacer, et je mettrai le mien à la place, dit Comus.

— Il est dans la famille depuis des générations, protesta Elaine qui ne partageait pas l'avis de Comus sur le mépris des gens riches pour les bagatelles qu'ils possèdent.

— J'en ai très envie, dit Comus d'un air boudeur, et vous avez des masses d'autres choses pour mettre les tartines.

Pour le moment, il était en proie à un désir inextinguible de garder le plat à n'importe quel prix ; son visage n'exprimait plus qu'une résolution avide, et la main qui tenait l'objet convoité n'avait pas encore lâché prise, ne fût-ce qu'un instant.

Elaine se sentit vraiment fâchée, cette fois, et elle se dit aussitôt qu'il était absurde de se mettre en colère pour si peu ; en même temps, un sentiment de justice lui disait que Comus faisait preuve d'une bonne dose d'égoïsme et de mesquinerie. En tout cas, son principal souci du moment était de cacher à Courtenay Youghal qu'elle était fâchée.

— Je sais que vous n'en avez pas vraiment besoin, c'est pour cela que je veux le garder, insista Comus.

— Il fait trop chaud pour discuter, dit Elaine.

— Heureuse maîtresse de vos destinées, dit Youghal en riant, vous pouvez tenir compte du moment favorable et de la température pour exposer vos idées. Moi, il faut que j'aille discuter, ou, ce qui est pis, écouter les discussions des autres dans une atmosphère chaude et frelatée, bonne pour un lézard invalide.

— Vous n'avez pas besoin de discuter sur un plat à tartines, dit Elaine.

— Au contraire, dit Youghal, notre principale préoccupation, ce sont les tartines des autres. Ils gagnent ou produisent la matière première, mais nous nous occupons de faire des lois sur la façon de couper les morceaux, la taille des tranches et la quantité donnée de beurre qui doit aller sur une quantité donnée de pain. C'est ce qu'on appelle légiférer. Si seulement nous pouvions faire des lois pour réglementer la digestion des tartines, nous serions parfaitement heureux.

Elaine avait été habituée depuis son enfance à regarder le Parlement comme une chose dont il fallait parler avec une joyeuse solennité, comme la maladie ou les réunions de famille. La façon cavalière avec laquelle Youghal dénigrait sa propre carrière ne choqua pourtant pas la susceptibilité d'Elaine. Elle savait qu'il ne se contentait pas de prononcer des discours brillants et efficaces ; il travaillait aussi avec assiduité dans les commissions. S'il faisait peu de cas de ses travaux, du moins ne donnait-il à personne d'autre le moindre prétexte pour en faire autant. Et l'atmosphère du Parlement n'était certainement pas dépourvue d'attrait par ce chaud après-midi.

— Quand devez-vous partir ? demanda-t-elle avec sympathie.

Youghal regarda tristement sa montre. Avant qu'il pût répondre, des huées joyeuses avaient traversé l'air comme le cri d'un hibou qui défie joyeusement la lumière du jour tout en annonçant la tombée de la nuit. Il se releva en riant.

— Ecoutez ! les galères me réclament. Les dieux m'ont accordé une heure dans ce jardin enchanté ; je ne peux donc pas me plaindre.

Et, à voix plus basse, il murmura presque :

— C'est le débat sur la Perse, ce soir.

Youghal ne révéla par aucune autre allusion, même en plaisantant, qu'il était en réalité passionnément esclave du travail qu'il allait entreprendre. C'est par cette simple confidence que Youghal fit comprendre à Elaine qu'il accordait du prix à la façon dont elle jugeait ses travaux.

Comus, qui avait vidé son étui à cigarettes, se mit soudain à pousser des cris à l'idée d'être provisoirement dépouillé de tout moyen de fumer. Youghal prit la dernière cigarette qui restait dans son propre étui et il la coupa gravement en deux.

— L'amitié ne saurait aller plus loin, observa-t-il, en donnant une moitié à Comus, que cette offrande n'apaisa qu'imparfaitement ; puis il alluma lui-même l'autre moitié.

— Il y en a des masses d'autres dans le hall, dit Elaine.

— C'était seulement pour le côté saint Martin de Tours de l'opération, dit Youghal. Je déteste fumer quand je me dépêche. Au revoir.

Le jeune esclave galérien s'avança dans le soleil, radieux et confiant. Elaine put entrevoir sa voiture blanche qui dépassait à toute vitesse les massifs de rhododendrons. Le plus habile soupirant est celui qui part le premier, surtout s'il s'en va pour se battre ou pour un semblant de bataille.

En tout cas, dans le jardin d'Elaine, temple de l'éternelle jeunesse, il y avait déjà un nuage sur les sculptures. La statue de jeune fille qui s'y promenait était toujours distinctement et immuablement semblable à elle-même, mais son compagnon était plus effacé et plus flou, comme une image qu'on aurait superposée à une autre.

Youghal, très content de lui, se hâtait vers la ville. Demain, se disait-il, Elaine allait lire son discours dans son journal du matin, et il savait d'avance que ce ne serait pas un de ses efforts les moins couronnés de succès. Il savait à peu de chose près les endroits qui seraient ponctués par des explosions de gaieté et des applaudissements ; il savait que, dans la galerie de la Presse, des doigts agiles noteraient tous les sarcasmes et tous les arguments à mesure qu'il les lancerait contre le ministre impassible qui se trouverait devant lui, et que la belle dame de ses pensées serait alors capable de juger ce même jeune homme qui avait passé son après-midi dans le jardin d'Elaine en se moquant paresseusement de lui-même et de son entourage habituel.

Et il réfléchit aussi, avec un rire silencieux, que Comus se rappellerait vivement au souvenir d'Elaine pendant les jours à venir, quand elle prendrait son thé de l'après-midi et qu'elle verrait les tartines dans un nouveau plat.

CHAPITRE VII

Vers quatre heures, par un chaud après-midi, Francesca sortit d'une boutique proche de Bond Street, côté Piccadilly, et se précipita ou peu s'en faut dans les bras de Merla Blathlington. L'après-midi sembla aussitôt redoubler de chaleur. Merla était une de ces mouches humaines qui bourdonnent perpétuellement dans les rues grouillantes, et, par temps chaud, elle atteignait les proportions d'une mouche bleue. Lady Caroline Benaresq avait prédit publiquement qu'il y avait dans l'autre monde un papier tue-mouches spécialement réservé à son usage ; d'autres gens, pourtant, étaient persuadés qu'elle serait miraculeusement multipliée dans la vie future, et que quatre Merla Blathlington ou davantage, suivant ses mérites, accompagneraient infatigablement et perpétuellement toutes les âmes perdues.

— Nous entrons dans les boutiques et nous en sortons comme des lapins, cria-t-elle tout en bourdonnant avec un joyeux empressement, bien qu'on voie rarement les lapins entrer dans les boutiques et en sortir.

De toute évidence, c'était un jour mouche bleue.

— Vous ne trouvez pas que Bond Street est adorable ? dit-elle, toujours en babillant. C'est une rue qui a quelque chose de bien particulier, il n'y en a aucune autre pareille nulle part ; connaissez-vous ces icônes, idoles et autres objets qu'on trouve un peu partout en Europe ? Ils passent pour avoir été peints ou sculptés, suivant le cas, par saint Luc, Zachée ou quelqu'un du même genre. Je me plais toujours à penser qu'une personnalité importante de ces époques lointaines a dessiné Bond Street. Saint Paul, peut-être. Il a beaucoup voyagé.

— Tout de même pas dans le Middlesex, dit Francesca.

— Personne n'en sait rien, insista Merla, quand on a vu autant de pays que lui, on mélange tout et on oublie où on a été. Je ne peux jamais arriver à me rappeler si j'ai été deux fois dans le Tyrol et une fois à Saint-Moritz ou le contraire, il faut toujours que je demande à ma femme de chambre. Et il y a dans le mot Bond un je-ne-sais-quoi qui fait penser à saint Paul ; est-ce qu'il n'a pas écrit beaucoup de choses sur l'esclave[1] et l'homme libre ?

— Je crois qu'il écrivait en hébreu ou en grec, objecta Francesca. Le mot n'aurait aucun rapport.

— C'était une façon scandaleuse de se dérober à toute prise de position que de diffuser partout des brochures rédigées dans ces langues bizarres, déplora Merla. C'est ce qui rend ces gens si difficiles à comprendre. Dès qu'on essaye d'en tirer quelque chose de précis, on vous dit qu'un mot d'une importance vitale a quinze autres significations dans le texte. Je suis étonnée que nos ministres et hommes politiques n'adoptent pas une sorte de latin de cuisine ou de jargon espérantiste pour prononcer leurs discours ; combien d'explications ultérieures évite-rait-on ainsi ? Mais, pour en revenir à Bond Street que nous n'avons d'ailleurs pas quittée...

1. Jeu de mots. *Bond* veut dire esclave. Saint Paul oppose souvent l'esclave à l'homme libre, en particulier Galates III, 28. Bond Street est une rue de Londres connue pour ses magasins de luxe.

— Je crois qu'il faut que je la quitte maintenant, dit Francesca en se préparant à tourner à Grafton Street. Au revoir.

— Avez-vous vraiment besoin de partir ? Venez prendre le thé quelque part, je connais un petit coin charmant où on peut parler sans être dérangé.

Francesca réprima un frisson et allégua un engagement urgent.

— Je sais où vous allez, dit Merla avec le bourdonnement rancunier d'une mouche bleue contrariée dans ses projets par la résistance froide et obtuse d'une vitre. Vous allez jouer au bridge chez Serena Golackly. Elle ne m'invite jamais à ses bridges.

Francesca frissonna ostensiblement cette fois. La perspective d'avoir à jouer au bridge, en quelque endroit que ce fût, à proximité immédiate de la voix de Merla n'était pas de celles qu'on peut envisager avec son calme habituel.

— Au revoir, répéta-t-elle fermement.

Et Francesca s'éloigna pour ne pas en entendre davantage. Elle eut l'impression de quitter la section des machines dans une exposition. L'endroit où Francesca se rendait était bien celui qu'avait diagnostiqué Merla, et elle se dirigea lentement, à travers les rues chaudes, vers la maison de Serena Golackly, sur le côté opposé de Berkeley Square. En plus de la bienheureuse certitude de trouver un bridge, elle espérait pouvoir entendre quelques fragments de nouvelles qui lui apporteraient des éclaircissements intéressants. Et les éclaircissements sur un sujet bien précis qui l'intéressait vivement et personnellement lui faisaient quelque peu défaut. Comus, depuis un certain temps, s'était montré d'une réticence exaspérante, peut-être en partie parce qu'il était dans sa nature d'être exaspérant ; en partie aussi parce que les querelles journalières sur les questions financières avaient graduellement supprimé toute autre forme de conversation. Francesca l'avait vu au Parc une ou deux fois dans l'agréable compagnie d'Elaine de Frey et, de temps en temps, elle avait entendu dire que les jeunes gens avaient dansé ensemble dans diverses maisons ; d'un autre côté, elle en avait vu et entendu suffisamment pour unir le nom de l'héritière à celui de Courtenay Youghal. Ces maigres informations contradictoires constituaient tout ce que savait Francesca de la position actuelle de la question. Si l'un des deux jeunes gens était sérieusement « en tête », il se trouverait bien quelque amateur de potins parmi les amis de Serena pour y faire une allusion voilée ou un commentaire précis devant Francesca, sans qu'elle eût besoin d'entamer le sujet ou de révéler par trop son ignorance. Et un bridge, à un taux raisonnable, constituait une très bonne excuse pour se taire de temps en temps ; si les questions devenaient embarrassantes par leur curiosité, on avait toujours la ressource de se réfugier dans un coup de pique défensif.

L'après-midi était beaucoup trop chaud pour que le bridge eût beaucoup de succès, et la réception de Serena était relativement intime. Toutes les tables étaient complètes, sauf une, quand Francesca fit son entrée ; Serena elle-même s'y trouvait avec, en face d'elle, Ada Spelvexit, que tout le monde qualifiait toujours de « Spelvexit de Cheshire » comme si c'était la seule variété fréquentable. Ada Spelvexit était une de ces personnes naturellement stagnantes qui prennent un plaisir infini à ce qu'on appelle « mouvements ».

— La plupart des grandes leçons dignes de ce nom que j'ai apprises m'ont été enseignées par les pauvres, répétait-elle volontiers.

La seule grande leçon que les pauvres auraient aimé lui enseigner, c'était que leurs cuisines et leurs chambres de malades n'étaient pas des salles de conférence dont elle pouvait disposer à son gré, et, cette leçon-là, elle n'avait jamais pu l'assimiler. Elle était prête à leur fournir des explications sans fin sur la façon dont ils devaient chasser le loup de la bergerie, mais elle s'adjugeait personnellement, qu'on le voulût ou non, une puissance de pénétration comparable à celle d'un vent d'est ou d'un ouragan de poussière. Lorsque ses visites avaient lieu chez des relations mieux douées sous le rapport de la fortune, elles présentaient le même caractère entreprenant, la même durée, et elles n'étaient guère mieux accueillies ; dans les réceptions à la campagne, tout en prenant sa large part de l'hospitalité qu'on lui offrait, elle avait l'habitude de se soulager de quelques homélies sur les démons de l'oisiveté et du luxe qui ne la rendaient pas spécialement chère aux autres invités.

La troisième joueuse prévue, comme le nota Francesca sans enthousiasme particulier, était lady Caroline Benaresq. Lady Caroline était loin d'être une bridgeuse remarquable, mais elle s'arrangeait toujours pour tyranniser impitoyablement toutes les tables qu'elle honorait de sa présence et elle s'arrangeait généralement pour gagner. C'est d'habitude à son partenaire que le joueur tyrannique inflige les plus gros dégâts et la démoralisation la plus pénible ; lady Caroline réalisait cet exploit de harasser et de démoraliser le partenaire comme les adversaires.

— Les deux faibles ensemble, annonça-t-elle d'une voix douce après avoir tiré au sort et constaté qu'elle allait avoir la maîtresse de maison comme partenaire. Je crois que nous ferions mieux de jouer à cinq shillings le cent.

Francesca fut étonnée de voir la vieille dame fixer un taux aussi modéré, car elle connaissait les préférences de lady Caroline pour un tarif élevé et sa chance habituelle aux cartes.

— Le tarif m'est égal, dit imprudemment Ada Spelvexit en faisant montre d'une élégante indifférence.

En fait, elle se sentit soulagée et se réjouit du chiffre raisonnable proposé par lady Caroline. S'il avait été question d'un taux plus élevé, elle aurait certainement hésité à l'accepter. D'habitude, elle n'avait pas de chance au jeu, et perdre de l'argent aux cartes était pour elle un sacrifice poignant.

— Alors, si cela vous est égal, nous jouerons à dix shillings le cent, dit lady Caroline en gloussant de satisfaction, comme une personne qui a tendu un filet devant un oiseau et qui constate la vanité des efforts de sa victime pour y échapper.

La partie se révéla ennuyeuse et monotone. Francesca avait du jeu, mais la chance favorisait plutôt ses adversaires. Elle jouait trop bien pour ne pas être quelque peu absorbée par le jeu dès le début, mais, ce jour-là, elle se sentait distraite par une préoccupation qui rivalisait avec l'importance temporaire des mains, des défausses et des déclarations. Les conversations, qui reprenaient par bribes dès qu'on donnait les cartes, intéressaient autant son attention sur le qui-vive que les cartes elles-mêmes.

— Oui, nous sommes peu nombreux, cet après-midi, dit Serena, en réponse à une remarque d'apparence insignifiante que Francesca venait de faire, et deux ou trois non-bridgeurs, ce qui est inhabituel un mercredi. Le chanoine Besomley était là juste avant votre arrivée, vous savez, le gros homme qui prêche.

— J'ai été une ou deux fois l'entendre crier contre l'espèce humaine, dit Francesca.

— Un homme fort qui exprime des pensées fortes, dit Ada Spelvexit sur un ton sans réplique.

— Il appartient à cette espèce de prédicateurs populaires qui flanque une raclée aux vices de l'époque, et qui déjeune avec eux après, dit lady Caroline.

— Cette définition ne correspond pas du tout à l'homme et à son œuvre, protesta Ada. J'ai été l'entendre souvent quand je me sentais déprimée ou découragée, et je ne peux vraiment vous dire l'impression que laissent ses paroles...

— Vous pouvez en tout cas nous dire ce que vous choisissez comme atout, interrompit doucement lady Caroline.

— Carreau, dit Ada, après avoir jeté un coup d'œil quelque peu désordonné sur son jeu.

— Contre, dit lady Caroline avec une gentillesse accrue et, quelques minutes plus tard, elle prenait son crayon pour ajouter vingt-quatre à son propre compte.

— J'ai séjourné dans sa famille, dans le Hertfordshire, dit Ada, reprenant la conversation interrompue au sujet du chanoine, c'est une retraite vraiment délicieuse en pleine campagne, une vraie cure de repos pour les nerfs. Le type du paysage de campagne, des fleurs de pommier partout.

— Sûrement pas ailleurs que sur les pommiers, dit lady Caroline.

Ada Spelvexit renonça à décrire le cadre décoratif de la vie familiale du chanoine, et elle se rabattit sur la consolation modeste, mais concrète, de marquer une levée de chute à son adversaire sur sa déclaration de cœur.

— Si vous aviez joué votre plus gros trèfle tout de suite au lieu du neuf, nous aurions fait une levée de plus, fit remarquer lady Caroline à sa partenaire sur un ton de reproche aigre-doux. Cela ne sert à rien, continua-t-elle, pendant que Serena s'excusait en balbutiant, cela ne sert absolument à rien de tenter de jouer au bridge à une table en essayant de voir et d'entendre ce qui se passe à deux ou trois autres.

— Je peux généralement m'arranger pour faire plusieurs choses à la fois, dit précipitamment Serena. Je crois que je dois avoir quelque chose comme un double cerveau.

— Il vaudrait beaucoup mieux faire des économies et en avoir un seul, mais un bon, observa lady Caroline.

— *La belle dame sans merci* marque une ou deux levées orales, comme d'habitude, remarqua discrètement à mi-voix un joueur à une autre table.

— Vous ai-je dit que sir Edward Roan va venir à ma prochaine grande soirée, dit très vite Serena, peut-être pour essayer de remonter un peu dans sa propre estime.

— Pauvre cher sir Edward ! Quel atout avez-vous demandé ? demanda lady Caroline d'un seul trait.

— Trèfle, dit Francesca, et pourquoi, je vous prie, ces qualificatifs pleins de commisération ?

Francesca était pour le ministère, par intérêt de famille et par fidélité ; elle se sentit prise du désir d'entrer en lice lorsqu'elle entendit ces insinuations peu flatteuses contre le ministre des Affaires étrangères.

— Il m'amuse tant, ronronna lady Caroline.

Son amusement était généralement comparable à celui qu'éprouverait un chat grand amateur de sports en surveillant les exercices de gymnastique suédoise d'une souris bien entraînée et extrêmement capable.

— Vraiment ? Il a assez brillamment réussi aux Affaires étrangères, vous savez, dit Francesca.

— Il fait tout à fait penser à quelque éléphant de cirque infiniment plus intelligent que les gens qui le dirigent, mais parfaitement content de continuer à mettre le pied par terre ou en l'air suivant ce qu'on lui ordonne, sans se demander un instant s'il marche sur une meringue ou sur un guêpier, tant il est absorbé par l'idée d'aller où on veut qu'il aille.

— Comment pouvez-vous dire des choses pareilles ? protesta Francesca.

— Ce n'est pas moi, dit lady Caroline. C'est

Courtenay Youghal qui l'a dit à la Chambre hier soir. Vous n'avez pas lu le compte rendu des débats ? Il était vraiment assez en forme. Je ne partage absolument pas son point de vue, évidemment, mais il y a dans ce qu'il dit juste assez de vérité pour que ce soit un peu plus que de spirituelles boutades ; par exemple, la façon dont il a résumé l'attitude du gouvernement vis-à-vis de notre embarrassant empire colonial dans cette phrase pleine d'envie : « Heureux le pays qui n'a pas de géographie ! »

— Comment peut-on dire une chose aussi absurde et aussi injuste ? Il est possible que notre Parti ait quelquefois adopté cette attitude, mais tout le monde sait que sir Edward est impérialiste jusqu'au fond du cœur.

— Beaucoup d'hommes sont ceci ou cela jusqu'au fond du cœur, mais personne ne serait assez téméraire pour assurer un homme politique contre une déficience du cœur. En particulier, quand il est dans l'exercice de ses fonctions.

— En tout cas, je ne vois pas ce que les chefs de l'opposition auraient pu faire d'autre dans ce cas-là, dit Francesca.

— On devrait toujours observer la plus grande réserve en parlant des chefs de l'opposition, dit lady Caroline de sa voix la plus douce ; on ne sait jamais à quoi peut les amener un changement dans la situation.

— Vous voulez dire qu'ils pourraient bien un jour prendre la tête des opérations ?

— Je veux dire qu'ils pourraient bien un jour diriger l'opposition. On ne sait jamais.

Lady Caroline venait de se souvenir que son hôtesse était du parti de l'opposition.

Francesca et sa partenaire marquèrent quatre levées à trèfle ; la partie était toujours en suspens avec vingt-quatre partout.

— Si vous aviez suivi l'excellent conseil lyrique

donné à la jeune fille d'Athènes[1] et que vous m'ayez retourné mon cœur, nous aurions fait deux levées de plus, dit lady Caroline à sa partenaire.

— M. Youghal semble se mettre beaucoup en vedette depuis quelque temps, remarqua Francesca pendant que Serena prenait les cartes pour donner.

Depuis que le nom du jeune politicien avait été introduit dans la conversation, l'occasion d'orienter l'entretien sur lui était trop belle pour qu'on la laissât passer.

— Je crois qu'il fera une brillante carrière, dit Serena. La Chambre se remplit toujours quand il parle, et c'est bon signe. De plus, il est jeune et il a beaucoup de charme, ce qui compte toujours dans le monde de la politique.

— Son manque de fortune le gênera, à moins qu'il ne puisse épouser une femme riche ou persuader quelqu'un de mourir en lui léguant une somme rondelette, dit Francesca ; depuis que les M.P.'s[2] reçoivent un salaire, les gens s'imaginent qu'ils vont dépenser un peu plus qu'avant et ils y sont obligés.

— Oui, pour les conditions d'admission, la Chambre des Communes est toujours aussi loin du royaume des Cieux qu'un pôle de l'autre, observa lady Caroline.

— Il devrait trouver facilement une jeune fille riche, dit Serena ; avec l'avenir qui l'attend, il ferait un excellent mari pour une jeune fille qui aurait des ambitions mondaines.

Francesca, qui feignait de ne s'intéresser que

1. *The Maid of Athens* est le titre d'un poème de Byron qui commence par ces vers :
Jeune fille d'Athènes, avant que nous nous séparions,
Rends-moi, oh ! rends-moi mon cœur.
2. Abréviation de *Member of Parliament,* membre du Parlement.

faiblement à la conversation, ne quittait pas lady Caroline des yeux, à l'affût de quelque allusion involontaire au fait que Youghal courtisait Miss de Frey.

— Qui mariez-vous et avec qui ?

La question émanait de George Saint-Michael, qui venait de quitter une table voisine, attiré par les bribes de conversation qui avaient atteint ses oreilles.

Saint-Michael était un de ces petits hommes vifs comme un oiseau, débordant d'une activité trompeuse, qui semblent s'être stabilisés à une période déterminée de l'âge mûr depuis aussi longtemps qu'ils existent. Une barbe en pointe soigneusement taillée lui prêtait un air assez digne, mais le reste de ses traits et son genre affecté démentaient continuellement cet emprunt. Sa profession, s'il en avait une, était submergée par sa marotte qui consistait à être au courant avant tout le monde des menus événements ou des événements hypothétiques imminents, ou qui paraissaient tels dans son groupe social habituel ; il trouvait une satisfaction perpétuelle et inlassable à apprendre et à colporter n'importe quelle bribe de commérage ou de nouvelle qu'il lui arrivait d'entendre, surtout en matière matrimoniale. Si on lui faisait part en quelques mots de fiançailles officielles, il se mettait aussitôt à enjoliver la nouvelle de toutes sortes de détails vrais, ou en tout cas probables, tirés de sa propre imagination ou de quelque autre source aussi exclusive.

En plus de cette supériorité laborieuse gagnée dans cette branche spéciale, il se faisait surtout remarquer par sa femme qui avait la réputation d'être la créature féminine la plus grande et la plus maigre de tous les comtés d'Angleterre. On les voyait quelquefois ensemble dans le monde où on les désignait sous le nom collectif de Saint-Michael et Tous les Angles.

— Nous essayons de trouver une femme riche pour Courtenay Youghal, dit Serena en réponse à la question de Saint-Michael.

— Ah ! là je crois que vous arrivez un peu tard, observa-t-il, brûlant de l'importance de la révélation qu'il allait faire, je crois que vous arrivez un peu tard, répéta-t-il en surveillant l'effet produit par ses paroles comme un jardinier surveille la croissance d'un carré d'asperges qu'il soigne avec amour. Je crois que le jeune homme vous a devancées, et qu'il a déjà une riche partenaire en vue.

— Vous voulez dire ?... commença Serena.

— Miss de Frey, interrompit précipitamment Saint-Michael, qui craignait de se voir devancer dans ses révélations, même par une simple conjecture ; c'est exactement ce qu'il lui faut, la femme parfaite pour un homme qui veut s'imposer dans la politique. Vingt-quatre mille livres par an, plus des espérances et une propriété charmante pas trop loin de la ville. De plus, exactement le type de jeune fille qui saura tenir un salon politique, très intelligente, mais rien d'une intellectuelle, vous comprenez. Tout à fait ce qu'il faut. Évidemment, il serait prématuré d'annoncer quoi que ce soit de précis maintenant...

— Ce ne serait guère prématuré pour ma partenaire d'annoncer ce qu'elle veut comme atout, interrompit lady Caroline avec une voix d'une douceur si agressive que Saint-Michael retourna précipitamment se réfugier à sa table.

— Ah ! c'est à moi ? Je vous demande pardon. Je passe, dit Serena.

— Merci. Sans atout, déclara lady Caroline.

Le coup se révéla fructueux pour elle, et la partie se termina finalement en sa faveur. Le sort laissa les joueuses à la même place, et cette fois, les cartes se montrèrent nettement défavorables à Francesca et à Ada Spelvexit, et elles durent faire face à une série impressionnante de pertes, à la fin de la partie.

Francesca avait conscience que son jeu légèrement désordonné n'était pas absolument étranger au résultat. L'incursion de Saint-Michael dans la conversation avait apporté quelques troubles sérieux dans sa sûreté de jeu habituelle.

Ada Spelvexit vida son porte-monnaie de quelques pièces d'or et introduisit un degré de supériorité équivalent dans ses manières.

— Il faut que je m'en aille, maintenant, annonça-t-elle. Je dîne de bonne heure. Je dois faire un discours à des femmes de ménage après.

— Pourquoi ? demanda lady Caroline avec cette absence de détours qui était une de ses caractéristiques les plus redoutables.

— Oh !... Eh bien ! j'ai des choses à leur dire et je crois que cela les intéressera, dit Ada en riant faiblement.

Sa déclaration fut accueillie par un silence qui révélait qu'une telle éventualité semblait totalement incroyable.

— Je m'intéresse beaucoup aux femmes de la classe ouvrière.

— Personne ne l'a jamais dit, observa lady Caroline, mais comme c'est douloureusement vrai que les pauvres nous ont toujours avec eux !

Ada Spelvexit précipita son départ ; la majesté offensée de sa retraite, venant couronner sa malchance au jeu, acheva totalement sa déconfiture. Il est cependant possible que la multiplication de ses ennuis personnels lui ait permis de contempler les soucis des femmes de ménage avec plus de gaieté. En tout cas, aucune d'elles n'avait passé un après-midi avec lady Caroline.

Francesca entra à une autre table, et, mieux servie par la chance, elle réussit à regagner presque tout ce qu'elle avait perdu. Lorsqu'elle prit congé de la maîtresse de maison, Francesca se sentait nettement satisfaite. Les commérages de Saint-Michael, ou plutôt l'accueil fait à ces commérages, avaient fourni à Francesca un indice sur l'état de l'affaire, et cet indice, quoique mince et hypothétique, allait au moins dans le sens qu'elle souhaitait. Elle avait d'abord eu horriblement peur d'être obligée d'entendre un vrai faire-part qui aurait porté un coup mortel à ses espérances, mais, comme Saint-Michael avait continué à réciter son morceau, sans y faire figurer un seul de ces petits détails mineurs et précis qu'il adorait fournir, Francesca avait fini par conclure qu'il n'y avait là qu'un bel exemple de déduction intelligente. Et, si lady Caroline avait réellement cru l'histoire des fiançailles virtuelles d'Elaine de Frey avec Courtenay Youghal, elle aurait pris un malin plaisir à encourager les confidences de Saint-Michael, et à guetter la déconfiture de Francesca pendant l'exposé. L'irritation avec laquelle lady Caroline avait coupé court à la discussion trahissait le fait que, d'après ce que savait la vieille femme, c'était Comus et non Courtenay Youghal qui était maître de la place. Et, dans ce cas particulier, les informations de lady Caroline avaient probablement plus de rapport avec la vérité que les commérages pleins d'assurance de Saint-Michael.

Après un bridge fructueux, Francesca donnait toujours un penny au premier balayeur ou au premier marchand d'allumettes qui se trouvait sur son chemin. Cet après-midi-là, elle était sortie de la bagarre en perdant environ quinze shillings, mais elle donna deux pennies à un balayeur qui se trouvait au coin nord-ouest de Berkeley Square, comme une action de grâces envers les dieux.

CHAPITRE VIII

C'était un après-midi frais, où la pluie semblait vouloir excuser une matinée tantôt étouffante, tantôt inondée d'averses torrentielles ; un de ces après-midi qui incitent les gens à parler de la pluie avec sympathie, comme d'une source de bienfaits, dont le principal mérite à leurs yeux réside dans l'obéissance aux lois de la mesure. C'était aussi un après-midi qui incitait à l'activité physique après la langueur convalescente du début de la journée. Elaine s'était instinctivement dirigée vers son costume d'amazone et elle avait envoyé des ordres aux écuries (une oasis bénie qui fleurait toujours bon le cheval, le foin et la propreté, dans un monde enfumé par le pétrole) et, maintenant, ayant mis sa jument à un pas vif, elle traversait une série interminable de petits chemins de campagne. Elaine devait se rendre à une garden-party dans le courant de l'après-midi, mais elle se dirigeait, avec obstination, en sens inverse. D'abord, ni Comus ni Courtenay n'étaient invités à cette réunion et ce fait paraissait écarter toutes les raisons valables qui auraient pu, semble-t-il, l'inciter à s'y rendre ; d'autre part, il y aurait un rassemblement d'une centaine d'êtres humains environ, et les rassemblements humains n'étaient pas son vœu le plus cher à l'heure actuelle. Depuis sa dernière rencontre avec ses soupirants sous les cèdres de son jardin, Elaine comprenait qu'elle était soit très heureuse, soit très malheureuse, mais elle était incapable de démêler si c'était l'un ou l'autre. On aurait pu croire qu'Elaine avait à ses pieds ce qu'elle désirait le plus au monde, et elle ne savait absolument pas si elle avait vraiment envie d'étendre la main pour le prendre.

Au sortir d'un chemin étroit bordé de taillis, Elaine se trouva sur une route plus large qui montait régulièrement tout le long d'une colline et vit venir une file de roulottes peintes en jaune, presque toutes traînées par des chevaux pommelés ou pie. Les véhicules qui s'avançaient en sens inverse avaient un certain air débraillé qui démontrait clairement qu'ils faisaient partie d'une ménagerie ; ils étaient adornés de ces riches couleurs primitives qu'on aime dans son enfance jusqu'à ce qu'on vous ait enseigné la valeur artistique des teintes mornes. C'était une rencontre imprévue et nettement désagréable. La jument avait commencé une sextuple enquête au moyen de ses naseaux, de ses yeux et de ses oreilles légèrement dressées ; une de ses oreilles effectuait de légers mouvements en arrière pour entendre ce que disait Elaine de la remarquable gentillesse et du caractère hautement respectable de la caravane qui s'approchait, mais Elaine sentait parfaitement qu'elle serait incapable d'apporter une explication satisfaisante au sujet des éléphants et des chameaux qui faisaient probablement partie de la procession. Rebrousser chemin semblait une solution assez lâche ; de plus, la jument pouvait s'effrayer de cette manœuvre et essayer de prendre le mors aux dents ; une grille d'entrée à demi ouverte sur un chemin qui menait à une basse-cour lui fournit un excellent moyen de résoudre la difficulté.

Pendant qu'Elaine s'efforçait d'entrer, elle s'aperçut qu'un homme qui se trouvait juste dans le chemin s'était avancé pour lui ouvrir la grille.

— Merci. Je viens d'abandonner la route à une ménagerie, expliqua-t-elle, ma jument tolère les autos et les rouleaux compresseurs, mais je crois que les chameaux... Eh bien ! dit-elle en interrompant sa phrase, car elle venait de s'apercevoir que l'homme était une vieille connaissance, j'avais entendu dire que vous vous étiez installé quelque part dans une ferme. Je ne m'attendais vraiment pas à vous rencontrer là !

A l'époque encore proche où elle était enfant, Tom Keriway était un homme que l'on pouvait considérer avec un mélange de crainte et d'envie. La séduction de sa carrière vagabonde pouvait en effet enflammer l'imagination et susciter le vif désir de l'imiter chez beaucoup de jeunes Anglais. C'était comme la réalisation pour grandes personnes des jeux auxquels on s'amusait dans des pièces sombres éclairées par le feu, pendant les soirées d'hiver ; ou comme les rêves auxquels on s'abandonnait sur ses livres d'aventures favoris. Il avait fait de Vienne son quartier général, presque sa résidence, et il avait erré à sa fantaisie à travers les terres du Proche et du Moyen-Orient avec l'absence de hâte et la minutie que des âmes moins aventureuses consacrent à l'exploration de Paris. Il avait parcouru les foires aux chevaux de Hongrie, chassé des bêtes craintives et rusées au flanc des collines solitaires dans les Balkans ; il avait plongé comme un caillou dans la mare humaine stagnante d'un monastère bulgare ; il s'était infiltré dans l'étrange mosaïque raciale de Salonique, avait écouté avec une politesse amusée les opinions ultra-modernes et creuses qu'émettait au bord d'une route, dans quelque petite ville russe, un avocat ou un éditeur volubile, ou bien il avait appris la sagesse d'un éphémère compagnon de taverne, atome de cette fourmilière affairée d'hommes et de marchandises qui s'écoule comme un fleuve sans fin le long des côtes de la mer Noire. Et, même si son amour de l'aventure l'avait entraîné très loin, il s'arrangeait toujours pour fréquenter assidûment les bals, les soupers et les théâtres dans la joyeuse capitale des Habsbourg, hantant ses cafés et ses caveaux favoris, parcourant ses journaux favoris, saluant ses vieilles connaissances et ses amis de toutes classes qui allaient de l'ambassadeur au savetier. Il parlait rarement de ses voyages, mais on peut dire que ses voyages parlaient de lui ; il y avait en lui quelque chose qu'un diplomate allemand avait une fois résumé en quelques mots : « Un homme que les loups ont flairé. »

Et puis, il arriva deux choses qu'il n'avait pas prévues sur sa route ; une grave maladie lui ôta brusquement la moitié de sa vitalité et toute son énergie, puis une grosse perte d'argent l'amena presque au bord du dénuement. Peut-être poussé par une impulsion comparable à celle qui chasse un animal blessé loin de ses semblables, Tom Keriway quitta les lieux où il avait été si heureux, et il alla s'abriter dans une ferme retirée. Il devint plus que jamais pour Elaine quelqu'un dont on a entendu parler. Et, maintenant, grâce à cette rencontre fortuite avec la caravane, elle venait de passer brusquement le seuil de sa retraite.

Elaine mit pied à terre, et Keriway conduisit la jument à un petit paddock près d'une vaste grange grise. Au bout du chemin, ils purent voir passer le cirque : il avait l'air d'un chapelet de lourdes voitures et de bêtes qui marchaient à grandes enjambées, unissant les vastes silences du désert aux bruits, aux spectacles, aux odeurs, aux flammes de naphte, aux monceaux d'affiches et aux peaux d'orange piétinées d'une interminable succession de villes.

— Vous feriez mieux d'attendre quelque temps après le passage de la caravane avant de regagner la route. L'odeur des bêtes pourrait rendre votre jument nerveuse et rétive pendant le retour.

Il appela alors un jeune garçon qui maniait une binette parmi des herbes d'une prospérité agressive pour qu'il allât chercher un verre de lait et un morceau de gros pain pour la dame.

— Je ne me rappelle pas avoir jamais vu un endroit aussi charmant et aussi paisible, dit Elaine en s'installant sur un siège qu'un poirier avait obligeamment ménagé dans la courbe fantastique de son tronc.

— Charmant, c'est charmant, dit Keriway, mais la lutte pour la vie y est trop âpre pour qu'il soit paisible. Depuis que je vis ici, j'ai appris ce dont je m'étais toujours douté, c'est-à-dire qu'une ferme installée dans un endroit écarté constitue un univers à elle seule ; nulle part au monde on ne peut aussi bien étudier l'enchevêtrement des intrigues et les tragédies. Exactement comme dans ces vieilles chroniques de l'Europe médiévale quand il y avait une sorte d'anarchie ordonnée entre les seigneurs féodaux, les princes, les burgraves, les abbés à mitre, les princes-évêques, les barons voleurs, les corporations, les électeurs et tout ce qui s'ensuit, qui se combattaient, se disputaient, s'espionnaient et se nuisaient réciproquement, à l'abri de quelque vague code fait de lois négligemment appliquées. C'est ce qu'on voit ici sous ses yeux, comme si un vieux grimoire moisi se mettait à vivre. Prenez un petit échantillon : la vie de la volaille à la ferme. Les volailles pour éleveur amateur, ces ennuyeuses machines à pondre dont on a enregistré la nourriture à une once près et le rendement en œufs, à deux sous près, ne vous donnent aucune idée de la vie prodigieuse de ces oiseaux de basse-cour ; leurs fiefs, leurs jalousies, leurs prérogatives soigneusement conservées, leurs tyrannies et leurs persécutions impitoyables, leur courage et leur bravade calculés, tout cela pourrait être quelque chapitre humain, extrait des *Annales de la vieille Rhénanie* ou de *l'Italie médiévale*. Et puis, en plus de leurs querelles intestines et de leurs haines, il y a les féroces ennemis qui surgissent contre eux du fond des bois ; le faucon qui fond sur le poulailler comme un bandit va razzier un pays voisin tout en sachant qu'une décharge de plomb peut à chaque instant le mettre en pièces. Et l'hermine d'été, un glissement de fourrure brune long de quelques centimètres qui rampe, et qu'une inextinguible soif de sang a fait sortir de son repaire. Et le renard roux que son appétit a guidé jusque-là ; il a peut-être passé la moitié de l'après-midi à attendre son heure pendant que les volailles s'ébattaient dans la poussière sous la haie et, à la minute où elles revenaient vers la cour pour aller souper, l'une d'elles s'est arrêtée une dernière fois pour secouer ses plumes, et la mort a fondu sur elle. Savez-vous, continua-t-il pendant qu'elle prenait des morceaux de gros pain pour elle et pour sa jument, je ne crois pas avoir jamais rencontré dans mes lectures une tragédie qui m'ait autant impressionné que celle-ci, qui tient en huit mots : le méchant renard a pris la poule rouge. C'était une réussite dramatique parfaite ; la méchanceté du renard ajoutée à l'astuce traditionnelle de sa race semblait accroître l'horreur du destin de la poule, et le mot « pris » évoquait d'une manière frappante le génie du mal et sa volonté de domination. On sentait que tout un pays en armes n'aurait pu arracher cette poule au méchant renard. On me prenait toujours pour un lourdaud qui ne savait même pas lire, parce que je n'aimais pas apprendre mes leçons, mais je préférais m'asseoir et me représenter la poule rouge battant faiblement des ailes et gloussant des protestations terrifiées, ou peut-être, s'il l'avait prise par le cou, avec le bec grand ouvert, silencieuse et les yeux fixes, à l'instant où elle quitte pour toujours la cour de la ferme. J'ai déjà vu des massacres sanglants, des exterminations, et des déroutes abjectes, mais la poule rouge est restée dans mon esprit comme le type même de la fatalité tragique.

Il resta un moment silencieux comme s'il rêvait encore au drame en huit mots qui avait tenu tant de place dans son imagination d'enfant.

« Parlez-moi encore du temps de votre splendeur... » C'était la question qu'Elaine avait sur les lèvres, mais elle l'arrêta à temps pour lui substituer celle-ci :

— Je vous en prie, parlez-moi encore de la ferme !

Et il lui parla d'un univers, ou plutôt de plusieurs univers entremêlés qui vivaient en marge du monde, dans ce vallon assoupi au creux des collines, il lui parla des bêtes, des bois, et du métier de fermier qui touche parfois à la sorcellerie, sans insister là-dessus ; il ne parlait pas avec l'empressement à expliquer de ceux qui ne savent rien, mais avec le regard détourné de ceux qui craignent d'en voir trop. Il lui parla de ce qui dort, de ce qui rôde quand tombe le crépuscule, d'étranges chats sauvages, du cochon de la cour et du bétail de l'étable, et même des gens de la ferme qui sont, par leurs idées, leurs craintes, leurs désirs et leurs tragédies, aussi curieux et arriérés à leur manière que les animaux et la gent emplumée qu'ils soignent. Elaine avait l'impression qu'un tas de vieux livres d'enfant tout moisis avaient été descendus d'un débarras plein de toiles d'araignée et qu'ils se mettaient à vivre. Elaine était assise dans le petit enclos richement tapissé d'herbes folles et de gazon dru, à l'ombre de la vieille ferme grise séculaire ; elle écoutait cette chronique d'événements prodigieux, où le fantastique se mêlait au réel, et elle avait du mal à croire qu'à quelques miles de là, il y avait une garden-party qui battait son plein, parmi les robes élégantes, les conversations élégantes, les rafraîchissements à la mode, la musique à la mode et, sous tout cela, un courant fiévreux de rivalités sociales et de coups d'épingle. Elaine se demanda si Vienne et ses montagnes des Balkans paraissaient aussi irréelles et lointaines à l'homme qui était assis près d'elle et qui avait découvert ou inventé cette merveilleuse féerie. Était-ce grâce à une extraordinaire combinaison du destin et de la vie que son univers actuel avait chassé jusqu'au souvenir de son passé ? Elle contemplait un homme qui avait possédé des trésors sans prix, qui les avait tous perdus, et cet homme était heureux, absorbé et parfaitement satisfait par le petit univers qu'il s'était bâti en marge du monde. Et Elaine, qui possédait dans le creux de sa main tant de choses qui font le bonheur de la plupart des gens, ne pouvait même pas se sentir à peu près heureuse. Elle ne savait même pas si elle devait chasser de son piédestal ce héros de ses rêves enfantins, ou s'il fallait le jucher plus haut encore ; en somme, la constatation qu'un esprit autrefois hardi et vagabond pouvait être aussi parfaitement dompté et domestiqué rencontrait chez elle plus de regret que d'approbation.

La jument donnait des signes d'impatience légèrement dissimulée : l'enclos, ses insectes agaçants et son médiocre pâturage n'avaient pas chassé l'image de son box bien garni de fourrage. Elaine ôta de son costume quelques miettes de gros pain et sauta légèrement en selle. Pendant qu'elle descendait lentement le sentier qui menait à la grille, escortée par Keriway, elle jeta un coup d'œil circulaire sur ce qu'elle avait pris pour une vieille ferme pittoresque, un ensemble de ruches, de roses trémières et de hangars. C'était maintenant à ses yeux une cité magique, dont la magie recouvrait la profonde réalité.

— Vous devriez faire des envieux, dit-elle à Keriway. Vous avez créé un monde féerique et vous y vivez.

— Des envieux ?

Il lança la question avec une amertume soudaine. Elle baissa les yeux et apprit en le regardant la vivacité de ses regrets.

— J'ai lu une fois, lui dit-il, dans un journal allemand, un conte sur une grue estropiée qu'on avait apprivoisée et qui vivait dans le parc de quelque petite ville. J'ai oublié ce qui se passait dans le conte, mais je n'en oublierai jamais la morale : « Elle était estropiée, c'est pourquoi elle était apprivoisée. »

Il avait créé un monde féerique, mais il n'y vivait sûrement pas.

CHAPITRE IX

Dans la chaleur de cette matinée de la fin juin, la bande de terrain ratissée, l'allée sablée et le buisson de rhododendrons qu'on appelle affectueusement *The Row*[1] grouillaient du mouvement monotone et de la stagnation alerte qui convenaient au temps et au lieu. Les gens qui cherchaient la santé, ceux qui cherchaient à être connus et reconnus, les amateurs d'exercices physiques étaient tous bien représentés dans l'allée cavalière ; l'allée sablée, les fauteuils et les chaises longues contenaient une population dont les instincts variés et les mobiles auraient confondu l'auteur d'un annuaire mondain. Les enfants, portés ou véhiculés, pouvaient être dispensés d'instinct ou de mobile ; on les y avait amenés.

Courtenay Youghal était là, se détachant agréablement sur un bouquet de cavaliers médiocres ; il était monté sur son beau cheval hongre rouan-prune : Anne-de-Joyeuse, qui suivait la grille au pas à l'endroit où il y avait le plus de spectateurs. Cet animal au pied léger avait enlevé un prix à Islington et la vie, ou presque, à un garçon d'écurie qui ne lui plaisait pas, mais il prétendait surtout se distinguer

1. Allée circulaire dans Hyde Park.

par la haute opinion qu'il avait de lui-même. Il était clair que Youghal croyait à la théorie de l'accord parfait entre cheval et cavalier.

— Je vous en prie, arrêtez-vous et racontez-moi quelque chose, dit une voix implorante et tranquille de l'autre côté de la grille, et Youghal tira les rênes pour saluer lady Veula Groot. Lady Veula était entrée par son mariage dans une famille qui se faisait remarquer par sa solidité commerciale et par son absence totale d'esprit d'entreprise en matière politique. Elle avait un mari dévoué, quelques enfants blonds et dociles, et un regard plein d'une lassitude inexprimable. Quand on la voyait accueillir les invités de son mari au sommet d'un escalier luxueusement décoré de plantes, on avait un peu l'impression d'observer un animal en train de faire son numéro sur une scène de music-hall. On se dit toujours que l'animal aime cela et on sait toujours parfaitement que ce n'est pas vrai.

— Lady Veula est une libre-échangiste convaincue, n'est-ce pas ? fit-on une fois remarquer à lady Caroline.

— Je serais étonnée, dit lady Caroline de sa douce voix interrogative, qu'une femme dont les robes sont faites à Paris et dont le mariage a été fait au ciel puisse être impartiale au sujet de la libre importation.

Lady Veula détailla Youghal et sa monture avec le regard critique d'un expert et sa voix prit un ton mi-railleur, mi-envieux.

— Je voudrais bien vous flatter de la main tous les deux, mes chers amis, mais je ne suis pas sûre que Joyeuse me le permettrait. Je remplacerai donc cela par une avalanche de paroles flatteuses. J'ai beaucoup admiré votre attaque contre sir Edward, bien que je n'en approuve évidemment pas un seul mot. Votre description de sir Edward en train d'édifier une haie autour du coucou allemand avec l'espoir de l'isoler par ce procédé était assez savoureuse. Cela dit, je le considère vraiment comme un des piliers de notre administration.

— Moi aussi, dit Youghal ; le malheur c'est qu'il ne soutient qu'une simple toile de tente. C'est précisément sa regrettable solidité et son intégrité qui font de lui un danger aussi sérieux.

Lady Veula rit gaiement.

— Mon parti est au pouvoir, aussi je peux exercer le privilège d'être optimiste. Qui vous a salué ? continua-t-elle pendant qu'un jeune homme brun, affligé d'une légère tendance à l'embonpoint, passait près d'eux à pied. Je l'ai beaucoup vu un peu partout ces temps derniers. Il est venu danser une ou deux fois chez moi.

— Andrei Drakoloff, dit Youghal, il vient de faire jouer une pièce qui a eu beaucoup de succès et qui enchantera certainement les spectateurs de la Russie tout entière. Dans les trois premiers actes, on croit que l'héroïne va mourir de consomption et, dans le dernier acte, on découvre qu'en réalité elle meurt d'un cancer.

— Est-ce que les Russes sont vraiment des gens aussi sombres ?

— Ils adorent ce qui est sombre, mais ils ne sont absolument pas sombres ; tout simplement, ils prennent plaisamment leur tristesse exactement comme on nous accuse de prendre tristement nos plaisirs. Avez-vous remarqué que ce redoutable jeune Klopstock nous croise de sa démarche pesante à des intervalles de plus en plus rapprochés ? Il va venir vous parler s'il rencontre un tant soit peu votre regard.

— C'est tout juste si je le connais. Je crois qu'il est dans une école d'agriculture ou quelque chose comme cela ?

— Oui, il apprend le métier de gentilhomme

fermier, m'a-t-il dit. Je ne lui ai pas demandé si les deux matières étaient obligatoires.

— Vous êtes vraiment terrible ! dit lady Veula en essayant de prendre un air convaincu ; rappelez-vous que nous sommes tous égaux aux yeux du Ciel.

Sa voix manquait de conviction pour prêcher ces vérités salutaires.

— Si vraiment Ernest Klopstock et moi, nous étions égaux aux yeux du Ciel, je recommanderais au Ciel de consulter un oculiste.

Une lourde projection de mottes de terre et le brusque écrasement d'une selle de cuir saluèrent le jeune Klopstock lorsqu'il arriva pesamment à la grille et qu'il se répandit en salutations bruyantes et cordiales. Joyeuse dressa vigoureusement les oreilles lorsque le roussin mal bâti et son cavalier parfaitement assorti s'arrêtèrent à côté d'elle ; son verdict trouva une réplique approbatrice dans le regard fixe et froid de Youghal.

— Je viens de rudement bien m'amuser, raconta le nouveau venu avec un enthousiasme tapageur. J'ai été à Paris le mois dernier et j'y ai mangé des quantités de fraises, et puis j'en ai mangé encore à Londres et, maintenant, je viens d'en manger dans le Herefordshire grâce à une récolte tardive ; j'en ai vraiment mangé des quantités, cette année.

Et il rit, comme un homme qui a bien mérité de la destinée et qui a reçu sa récompense.

— Le charme de cette histoire, dit Youghal, c'est qu'elle peut être racontée dans n'importe quel salon.

Et, en saluant d'un ample geste de son chapeau à large bord, il dirigea l'impatient Joyeuse vers le fleuve mouvant de chevaux et de cavaliers.

« Cette femme me rappelle des vers que j'ai lus et aimés, pensa Youghal, pendant que Joyeuse se lançait dans un petit galop léger et brillant auquel l'existence de spectateurs le long du trottoir n'était pas étrangère. Ah ! je me rappelle. »

Et il cita presque à haute voix, comme on le fait dans l'allégresse d'un léger galop :

Comme j'aimais la façon que vous aviez
De sourire le plus quand vous étiez très triste,
D'un sourire qui exprimait de tendres sous-entendus,
De soleil et de printemps,
Et cependant, plus que toute autre chose,
D'une indicible lassitude.

Et, quand il eut constaté avec satisfaction que lady Veula illustrait une citation, il la bannit de son esprit. Avec la constance de son sexe, elle songea à lui, à son allure élégante, à sa jeunesse, à sa langue acérée, jusqu'à une heure avancée de l'après-midi.

Pendant que Youghal mettait les qualités de Joyeuse à l'épreuve sous les ormes du *Row*, un petit drame dans lequel il était directement intéressé se jouait quelques centaines de yards plus loin. Elaine et Comus étaient mollement installés sur les chaises à deux pennies du parc ; ils les avaient imperceptiblement écartées des rangées compactes de gens assis, exposés, comme des plantes dans un parterre, sur une acre de gazon ou à peu près. Comus était pour le moment plein d'une gaieté combative qui se dépensait en critiques acérées et en anecdotes impitoyables aux dépens des promeneurs et des flâneurs qu'il connaissait personnellement, ou simplement de vue. Elaine était un peu plus calme que d'habitude, et la sérénité grave du portrait de Léonard de Vinci semblait plus intense encore sur son visage ce matin-là.

Pour le servir dans la cour peu pressante qu'il faisait à Elaine, Comus avait compté presque exclusivement sur son charme physique et sur la bouffonnerie intermittente de son esprit et de sa bonne humeur, et ces dons avaient fortement contribué à le rendre très désirable et presque adorable aux yeux d'Elaine. Mais il n'avait pas tenu compte de la défaveur qu'il risquait constamment et qu'il encourait quelquefois à cause de son indifférence franche et non déguisée pour les désirs d'autrui, y compris ceux d'Elaine. Et, plus elle sentait qu'il lui plaisait, plus son manque de considération pour elle l'irritait. Il y avait un autre facteur important qu'il avait oublié dans ses calculs, c'était la présence sur scène d'un autre soupirant qui se recommandait, lui aussi, de sa jeunesse, de son esprit, et qui ne manquait certes pas de charme physique. Comus, qui marchait insouciamment à travers un pays inconnu pour sanctionner une victoire qu'il croyait déjà certaine, commit la faute de négliger la présence d'une armée invaincue sur son flanc.

Ce jour-là, Elaine sentait que, sans s'être positivement disputés, Comus et elle ne se trouvaient plus tout à fait dans la même atmosphère de sympathie réciproque. Elaine savait qu'elle n'en était guère responsable ; en réalité, même d'un point de vue très bienveillant, il était à peu près indéniable que presque toute la faute en incombait à Comus. L'incident du plat d'argent avait perdu jusqu'à l'attrait de la nouveauté ; il faisait partie d'une série d'incidents qui avaient comme un air de famille. Il y avait eu des petites sommes empruntées et non remboursées auxquelles Elaine n'aurait pas prêté attention en elles-mêmes, quoique ce genre de démarche lui soulevât le cœur. Avec la perversité qui semblait inséparable de ses actions, Comus avait toujours jeté une partie de ses emprunts dans quelque manifestation d'un luxe ostentatoire ou dans des extravagances complètement inutiles, ce qui outrageait tous les canons de l'éducation d'Elaine, sans apporter à Comus le moindre atome de satisfaction imaginable. Après avoir été ainsi découragée à plusieurs reprises, il n'y avait rien de surprenant à ce que son affection se fût un tant soit peu évanouie, mais elle était venue au parc ce matin-là avec le secret espoir d'être amenée par la tendresse de son soupirant au généreux oubli qu'elle n'était que trop désireuse de feindre. Cela valait presque la peine d'être fâchée contre Comus pour éprouver le plaisir d'être courtisée, avec le charme dont il savait si bien se servir, jusqu'à ce qu'on lui ait rendu son amitié. Il faisait délicieux sous les arbres par cette idéale matinée de juin, et Elaine avait la bienheureuse certitude que presque toutes les femmes qui se trouvaient dans la rangée lui enviaient la compagnie du beau jeune homme plein de gaieté qui était assis près d'elle. Avec une satisfaction particulière, elle contempla sa cousine Suzette qui recevait avec ostentation, mais sans joie profonde, les attentions de son fiancé. Le fiancé était un jeune homme à l'air sérieux qui était directeur d'un je-ne-sais-quoi-du-Peuple au sud de la rivière et dont les vêtements, selon Comus, étaient plutôt imputables à un tailleur de Southwark qu'à un accès de colère.

La plupart des plaisirs de ce monde sont payants et, en temps et lieu, l'homme des chaises fit son apparition, en quête de pennies. Lorsque Comus eut extrait la somme d'un assortiment varié de monnaie, il balança ce qui restait dans la paume de sa main. Elaine eut soudain le pressentiment qu'il allait se passer quelque chose de désagréable et ses joues devinrent plus rouges.

— Quatre shillings, cinq pennies et un demi-penny, dit pensivement Comus. C'est une somme ridicule pour trois jours, et je dois plus de deux livres que j'ai perdues aux cartes.

— Oui, commenta sèchement Elaine avec un manque d'intérêt apparent pour ce discours financier. « Il ne serait sûrement pas assez bête, se dit-elle aussitôt, pour faire des ouvertures au sujet d'un autre emprunt. »

— Les dettes de jeu sont de vrais fléaux, poursuivit Comus avec une insistance funeste.

— Vous avez gagné sept livres la semaine dernière, n'est-ce pas ? demanda Elaine, est-ce que vous ne prenez pas un peu de ce que vous gagnez pour équilibrer vos pertes ?

— Les quatre shillings, les cinq pennies et le demi-penny représentent l'arrière-garde des sept livres, dit Comus ; le reste s'est évanoui en route. Si je peux payer les deux livres aujourd'hui, je parierais bien que je gagnerais de quoi continuer à jouer ; j'ai de la chance en ce moment. Mais, si je ne peux pas les payer, je ne paraîtrai évidemment pas au club. Vous voyez donc dans quel embarras je suis.

Elaine fit mine de pas remarquer cette demande indirecte.

La conversation s'était écartée du sujet fatal pendant un certain temps, lorsque Comus la ramena délibérément vers la zone dangereuse.

— Ce serait rudement gentil si vous vouliez me prêter un billet de cinq livres pendant quelques jours, Elaine, dit-il rapidement ; sinon, je ne sais vraiment pas comment je vais faire.

— Si vous êtes vraiment ennuyé par cette dette de jeu, je vous ferai porter deux livres par un commissionnaire au début de l'après-midi. (Elle proféra ces mots calmement et avec une grave décision.) Et je n'irai pas danser chez les Connor ce soir, continua-t-elle, il fait trop chaud pour danser. Maintenant, je rentre chez moi ; je vous en prie, ne vous dérangez pas pour m'accompagner ; je préfère de beaucoup être seule.

Comus vit qu'il avait dépassé les bornes de la bienveillance naturelle d'Elaine. Avec sagesse, il ne fit aucune tentative immédiate pour rentrer dans ses bonnes grâces. Il attendrait que son indignation se fût calmée.

Sa tactique aurait été excellente s'il n'avait oublié cette fameuse armée invaincue sur son flanc.

Elaine de Frey se rendait parfaitement compte des

qualités qu'elle aurait voulu trouver chez Comus, et elle se rendait parfaitement compte, bien qu'elle essayât de s'illusionner, qu'il manquait absolument de ces qualités. Elle aurait volontiers abaissé le niveau de ses exigences morales en proportion de son affection pour le jeune homme, mais il y avait une limite qu'elle ne voulait pas franchir. Il avait blessé son orgueil et, de plus, alarmé ses sentiments de prudence. Suzette, qu'Elaine avait une tendance parfaitement justifiée à regarder de son haut, avait du moins un amoureux plein d'égards et raisonnable. Elaine marchait vers les grilles du parc avec le sentiment que, dans un domaine essentiel, Suzette possédait un bien qui lui était refusé et, en arrivant aux grilles, elle rencontra Joyeuse et son fringant cavalier qui se préparaient à prendre le chemin du retour.

— Débarrassez-vous de Joyeuse et emmenez-moi déjeuner quelque part, demanda Elaine.

— Quelle chance ! dit Youghal. Allons au restaurant *Corridor*. Le maître d'hôtel est un de mes vieux amis viennois et il me soigne merveilleusement. Je n'y suis encore jamais allé avec une jeune fille et, après, il va sûrement prendre son air paternel pour me demander si nous sommes fiancés.

Le déjeuner fut réussi en tout point. Il y avait juste assez d'orchestre pour baigner la conversation sans la noyer, et Youghal était un hôte plein d'attentions et d'heureuses inspirations. Par une porte ouverte, Elaine pouvait voir le bar-salon de lecture et son imposant étalage de *Neue Freie Presse, Berliner Tageblatt* et autres journaux exotiques affichés au mur. Elle regardait le jeune homme assis en face d'elle qui donnait l'impression d'avoir concentré tous ses efforts sur les vêtements qu'il portait et sur ce qu'il mangeait, et elle se rappela quelques-unes des flatteuses remarques que la presse lui avait dispensées lors de ses derniers discours.

— Est-ce que cela ne vous rend pas fat, Courtenay, demanda-t-elle, de regarder tous les journaux étrangers qui sont affichés là et qui contiennent presque tous des paragraphes et des articles où il est question de votre discours sur la Perse ?

Youghal rit.

— Il y a toujours un excellent rappel à l'ordre, c'est la pensée que quelques-uns d'entre eux ont peut-être imprimé votre portrait. Quand on a vu une seule fois ses traits hâtivement reproduits dans *Le Matin,* on voudrait être une Turque voilée pour le restant de ses jours.

Et Youghal regarda longuement et amoureusement son image dans le miroir le plus proche, comme un antidote au cas où il serait tenté de se montrer modeste dans la galerie de portraits de la renommée.

Elaine ressentait une certaine satisfaction en pensant que le jeune homme dont la connaissance du Moyen-Orient embarrassait les ministres se montrait aussi bien informé de ses goûts et de ses dégoûts culinaires. Si Suzette avait pu être forcée d'assister au déjeuner comme témoin, à une table voisine, Elaine se serait sentie plus heureuse encore.

— Est-ce que le maître d'hôtel a demandé si nous étions fiancés ? demanda Elaine, lorsque Courtenay eut payé l'addition et qu'elle eut fini de recueillir son ombrelle, ses gants et autres accessoires des mains de serviteurs obséquieux.

— Oui, dit Youghal, et il a eu l'air très abattu quand j'ai dû lui dire non.

— Ce serait affreux de le désappointer, alors qu'il s'est occupé de nous si gentiment, dit Elaine, dites-lui que nous le sommes.

CHAPITRE X

Les Galeries Ruthland étaient pleines, surtout à proximité du buffet, d'une foule élégante de protecteurs des arts qui s'étaient réunis pour inspecter la collection de portraits de gens du monde, œuvre de Mervyn Quentock. Quentock était un jeune artiste dont les capacités venaient de recevoir la juste consécration des critiques. La consécration n'arrivait pas trop tard, et Quentock le devait beaucoup au fait d'avoir compris que, si on cache son talent sous le boisseau, il ne faut pas oublier de bien montrer à tout le monde le boisseau sous lequel il est caché. Il y a deux manières de recevoir une consécration : l'une, c'est d'être découvert si longtemps après votre mort que vos petits-enfants sont obligés d'écrire aux journaux pour établir leurs liens de parenté ; l'autre, c'est d'être découvert, comme Moïse enfant, à l'origine de sa carrière. Mervyn Quentock avait choisi la dernière méthode, qui est aussi la plus agréable. A une époque où beaucoup de jeunes artistes s'efforcent de se faire de la réclame en imprégnant leurs œuvres d'une bizarrerie imbécile, Quentock se signalait par une retenue délicate et charmante, mais il s'arrangeait pour annoncer ses productions par une certaine fanfare d'excentricité personnelle, forçant ainsi une attention qui aurait pu sans cela s'égarer hors de son studio. Son physique était celui d'un jeune Anglais soigné, sauf peut-être ses yeux qui évoquaient plutôt une édition illustrée des *Mille et Une Nuits*. Ses vêtements étaient assortis à son physique et ne montraient pas la moindre trace de ce désordre vestimentaire par lequel les bourgeois des cités-jardins et du quartier Latin s'efforcent anxieusement de proclamer leur parenté avec l'art et la pensée. Son excentricité se traduisait par un assaut contre les principaux courants sociaux contemporains, mais comme réactionnaire, jamais comme réformateur.

Il refusait catégoriquement de peindre des Américains s'ils n'arrivaient pas en droite ligne de certains États favorisés. Son « style d'aquarelliste », selon l'expression d'un journal de New York, lui avait valu une moisson de critiques acerbes et une quantité de commandes transatlantiques ; or, les critiques et les commandes étaient ce que Quentock désirait le plus.

— Évidemment, il a tout à fait raison, dit lady Caroline Benaresq, en délivrant tranquillement une assiette garnie de sandwiches au caviar du voisinage d'un trio de jeunes femmes qui s'étaient installées avec optimisme à proximité de l'assiette.

— Voudriez-vous passer ce plat de sandwiches ? demanda un membre du trio de jeunes femmes, enhardi par la famine.

— Avec plaisir, dit lady Caroline, en lui passant vivement un plat de tartines presque vide.

— Je voulais dire le plat de sandwiches au caviar. Je suis désolée de vous déranger, insista la jeune femme.

Sa désolation était sans objet. Lady Caroline avait tourné son attention vers une nouvelle venue.

— Une exposition très intéressante, disait Ada Spelvexit, une technique, et des poses choisies de main de maître. Mais avez-vous remarqué combien son art est animal ? On dirait qu'il interdit à l'âme d'entrer dans ses portraits. J'ai presque pleuré quand j'ai vu cette chère Winifred représentée sous les simples traits d'une belle blonde pleine de santé.

— Vous auriez dû, dit lady Caroline. Le spectacle d'une femme robuste et courageuse sanglotant à une exposition privée aux Galeries Ruthland aurait été vraiment sensationnel. Il aurait certainement été reproduit dans le prochain drame de Drury Lane. Et, je n'ai vraiment pas de chance, je n'assiste jamais à ces événements sensationnels. J'étais couchée avec l'appendicite, vous savez, quand Lulu Braminguard a dramatiquement pardonné à son mari après dix-sept ans d'éloignement pendant un déjeuner politique à Windsor. La vieille reine était furieuse. Elle disait que c'était faire preuve d'un vrai manque d'égards envers le cuisinier que de penser à une chose pareille dans un moment pareil.

Les souvenirs de lady Caroline sur les événements qui n'avaient pas eu lieu à la cour de la reine Victoria étaient remarquablement vivaces ; c'était parce qu'on craignait beaucoup de la voir un jour écrire ses Mémoires qu'elle était si universellement respectée.

— Et, dans le grand portrait de lady Brickfield, continua Ada, négligeant dans toute la mesure du possible les commentaires de lady Caroline, toute l'expression semble avoir été délibérément concentrée dans les pieds ; des pieds magnifiques, sans doute, mais ce n'est pourtant guère la partie la plus représentative de l'être humain.

— Peindre les gens qu'il faut par le côté qu'il ne faut pas, c'est peut-être une excentricité, mais c'est à peine une indiscrétion, déclara lady Caroline.

Un des portraits qui attiraient plus qu'une attention passagère était une étude de Francesca Bassington en travesti. Francesca avait procuré au jeune artiste quelques protecteurs fort appréciables et, en remerciement, il avait enrichi le panthéon de sa collection personnelle d'un vrai chef-d'œuvre dans lequel il avait semé une profusion inhabituelle de détails imaginaires. Il l'avait représentée dans un costume emprunté à la période la plus éclatante du règne de Louis le Grand, assise devant une tapisserie qui jouait un tel rôle dans la composition qu'on pouvait à peine dire qu'elle faisait partie de l'arrière-plan. Des fleurs et des fruits dans une profusion exotique en constituaient la note dominante ; coings, grenades, passiflores, convolvulus géants, grosses roses presque mauves et raisins que de joyeux cupidons pressaient déjà dans une tumultueuse vendange arcadienne, tout cela se détachait sur le grain de la tapisserie. La même note se retrouvait dans le satin fleuri de la jupe, et dans les grenades dessinées sur le brocart qui drapait le canapé où la jeune femme était assise. L'artiste avait intitulé son tableau *Récolte*. Et, quand on était entré dans tous les détails des fruits, des fleurs et du feuillage qui permettaient à la composition de mériter son nom, on remarquait le paysage qui apparaissait par une large croisée dans le coin gauche. C'était un paysage étreint par l'hiver, nu, glacé, décharné, un hiver où les choses mouraient pour ne jamais renaître à la vie. Si le tableau représentait une moisson, c'était une moisson qui avait poussé grâce à des méthodes artificielles.

— Cela laisse beaucoup de place à l'imagination, n'est-ce pas ? dit Ada Spelvexit qui s'était éloignée peu à peu afin de n'être plus à portée de langue de lady Caroline.

— En tout cas, on peut dire qui cela représente, dit Serena Golackly.

— Oh, oui ! cela ressemble beaucoup à cette chère Francesca, reconnut Ada. Naturellement, c'est flatté.

— Cela aussi, c'est une erreur à encourager dans l'art du portrait, dit Serena. Après tout, si on doit être le point de mire de la postérité pendant des siècles, ce n'est que gentil et raisonnable d'avoir l'air un petit peu mieux que dans ses meilleurs jours.

— Que cet artiste a donc un style curieusement inégal ! continua Ada, presque comme si elle avait un grief personnel contre lui. Je venais justement de remarquer combien l'âme était absente de presque tous ses portraits. Cette chère Winifred, vous savez, qui parle avec tant de talent et de sentiment à mes réunions de vieilles femmes, il lui a tout à fait donné l'air d'une espèce de laitière commune ; et Francesca qui est bien la femme la moins douée d'âme que j'aie jamais rencontrée, il lui a donné beaucoup...

— Chut ! dit Serena, le petit Bassington est juste derrière vous.

Comus avait l'impression, en regardant le portrait de sa mère, de se rencontrer soudain dans un milieu familier avec une relation jadis familière et maintenant presque oubliée. La ressemblance était sans doute indiscutable, mais l'artiste avait saisi dans les yeux de Francesca une expression que peu de gens connaissaient. C'était l'expression d'une femme qui avait pour un bref instant oublié de s'absorber dans les menus soucis et les menues agitations de sa vie, les ennuis d'argent, les petits projets mondains, et qui avait trouvé le temps de lancer un regard d'amitié mitigé de regret à quelque compagnon. Comus se rappelait encore avoir vu ce regard, intermittent et fugitif, dans les yeux de sa mère, quand elle avait quelques années de moins, avant que son univers fût devenu une salle de la Commission du budget. Presque comme une redécouverte, Comus se souvint qu'il se la représentait autrefois, dans son esprit d'enfant, comme une « assez bonne fille », plus disposée à voir le côté comique d'un mauvais tour qu'à se répandre en reproches. Il n'ignorait pas que, si l'ancien sentiment de bonne camaraderie avait disparu, il en était à peu près le seul responsable, et il était possible que cette vieille amitié fût encore là, sous la surface des choses, prête à surgir à nouveau s'il le voulait, et, en ce moment, ses amis se faisaient plus rares que ses ennemis. En regardant le tableau, plein du regret à demi exprimé d'une camaraderie passée, Comus décida qu'il souhaitait vivement le retour à l'ancien état de choses, et revoir sur le visage de sa mère ce regard que l'artiste avait saisi et perpétué pendant l'éclair de son passage. Si le projet de mariage avec Elaine réussissait, et, en dépit de la maladresse avec laquelle il venait de se comporter, Comus le considérait toujours comme certain, presque toute cause immédiate d'éloignement entre sa mère et lui disparaîtrait ou, du moins, serait facile à faire disparaître. Grâce à l'influence de l'argent d'Elaine, il se promit de trouver une occupation quelconque qui lui éviterait d'être traité de prodigue et d'oisif. Il y avait, se dit-il, beaucoup de carrières ouvertes à un homme pourvu d'une solide assise financière et de belles relations. Il y aurait peut-être encore de beaux jours pour lui et pour sa mère, qui aurait sa part de cet avenir séduisant ; et Henry Greech, ce raseur aux lèvres minces, et autres détracteurs de Comus n'auraient qu'à aller porter ailleurs leurs regards et leurs paroles acides.

Ainsi, en contemplant le tableau comme s'il l'étudiait dans ses moindres détails, et sans voir autre chose, en réalité, que ce sourire amical et plein de regret, Comus faisait-il des projets et des préparatifs pour une bataille qui était déjà livrée et perdue.

La foule devenait plus dense dans les galeries ; elle endurait gravement une compression qui aurait déchaîné une violente irritation dans un wagon de chemin de fer. Près de l'entrée, Mervyn Quentock parlait à une Altesse Sérénissime ; c'était une dame qui menait une vie d'une utilité envahissante, dont la cause résidait surtout dans une bienveillante incapacité de dire « non ». « Cette femme crée un vrai courant d'air avec toutes les ventes de charité qu'elle ouvre », avait une fois fait remarquer un ex-ministre qui s'exprimait avec frivolité.

En ce moment, elle se répandait en excuses bizarres.

— Quand je pense aux légions de jeunes gens bien intentionnés des deux sexes auxquels j'ai donné des prix pour leur talent dans les études d'art, j'ai l'impression que je ne devrais plus me montrer dans une galerie de tableaux. Je me figure toujours que mon châtiment dans un autre monde consistera à tailler éternellement des crayons et à nettoyer des palettes pour des défilés incessants de jeunes gens que j'aurai encouragés dans leurs illusions artistiques.

— Est-ce que vous croyez que nous recevrons dans l'autre monde un châtiment approprié à nos péchés dans celui-ci ? demanda Quentock.

— Pas tant à nos péchés qu'à nos indiscrétions ; ce sont les choses qui font le plus de mal et qui provoquent les plus grands chagrins. Je suis certaine que Christophe Colomb subira l'interminable tourment d'être découvert par des groupes de touristes américains.

» Vous voyez que je suis tout à fait démodée dans ma façon d'envisager les terreurs et les inconvénients d'un monde futur. Et, maintenant, il faut que je me sauve. Je dois aller ouvrir une bibliothèque gratuite quelque part. Vous savez comment cela se passe ; on dévoile un buste de Carlyle et on fait un discours sur Ruskin ; et ensuite les gens arrivent par milliers pour lire *Ralph l'enragé*, ou *Aurait-il dû la tromper ?* N'oubliez surtout pas que je vais prendre le médaillon avec le gros Cupidon assis sur un cadran solaire. Et encore autre chose : peut-être ne devrais-je pas vous le demander, mais vous avez des yeux si gentils, vous encouragez les gens à vous présenter des requêtes audacieuses, *voudriez-vous* m'envoyer la recette de ces délicieux sandwiches aux marrons et au foie de poulet ? Je connais les éléments, naturellement, mais c'est la proportion qui fait tout : combien faut-il exactement de foie par rapport aux marrons, et quelle quantité de poivre rouge et le reste. Merci beaucoup. Maintenant, je m'en vais vraiment.

En fixant à la ronde, avec un vague demi-sourire, tous les gens qui se trouvaient à proximité de salut, Son Altesse Sérénissime effectua une de ses sorties caractéristiques dont lady Caroline déclarait toujours qu'elles évoquaient un œuf brouillé s'échappant d'un morceau de toast. A l'entrée, elle s'arrêta un instant pour échanger un ou deux mots avec un jeune homme qui venait d'arriver. D'un coin où il se trouvait momentanément cerné par un groupe de douairières buveuses de thé, Comus reconnut Courtenay Youghal dans le nouveau venu, et il commença à se frayer lentement un chemin vers lui. Youghal n'était pas la personne dont la compagnie lui paraissait la plus enviable à ce moment mais, à défaut d'autre chose, il pourrait peut-être organiser une partie de bridge, ce qui était le plus grand désir actuel de Comus. Le jeune politicien était déjà entouré par un groupe d'amis et de relations, et il était visiblement en train de recevoir une salve de félicitations, probablement pour ses prouesses récentes au débat sur les affaires étrangères, conclut Comus. Mais c'était Youghal lui-même qui avait l'air d'annoncer l'événement auquel les félicitations étaient liées. Quelque catastrophe aurait-elle frappé le gouvernement ? Comus se le demanda. C'est alors, en s'approchant de plus près, qu'un mot entendu par raccroc, l'accouplement de deux noms, lui apprirent la nouvelle.

CHAPITRE XI

Après le mémorable déjeuner au restaurant *Corridor,* Elaine était rentrée à Manchester Square (où elle demeurait alors avec une de ses nombreuses tantes) dans un état d'esprit qui comportait un enchevêtrement d'émotions d'égale violence. En premier lieu, elle éprouvait par-dessus tout une sensation de soulagement ; dans un brusque accès de décision, en partie sous l'influence de son amour-propre blessé, elle avait résolu le problème que des heures passées à méditer profondément et à sonder gravement son cœur n'avaient aucunement approché de la solution, et, bien qu'elle se sentît un peu effrayée de la précipitation dont elle avait fait preuve dans sa décision finale, Elaine était maintenant à peu près sûre, au fond d'elle-même, d'avoir choisi la bonne.

Et, maintenant qu'elle avait donné à Youghal la première place dans ses sentiments, il avait rapidement acquis aux yeux d'Elaine quelques-unes des qualités auxquelles elle tenait le plus. Comme l'acheteuse proverbiale, elle avait cette heureuse tendance féminine qui consiste à exalter la valeur de ce qu'on possède sitôt après en avoir fait l'acquisition. Et Courtenay Youghal donnait à Elaine quelques raisons de se féliciter de son choix. En premier lieu, il avait beau paraître égoïste et cynique par moments, il était toujours parfaitement courtois et prévenant envers elle. C'était là un détail qui aurait en tout temps vivement influencé le jugement d'Elaine sur n'importe quel homme ; dans ce cas particulier, le détail prenait plus de valeur encore grâce au contraste fourni par la conduite de son autre soupirant. Et Youghal avait aux yeux d'Elaine la supériorité que confère au combattant l'auréole de la guerre, même si c'est une guerre de mots et d'intrigues politiques. Il était au premier rang d'une bataille qui, si soigneusement mise en scène, si édulcorée par les dissimulations individuelles et si cachée qu'elle fût sous une héroï-comédie bien orchestrée, d'une bataille qui avait vraiment son influence, bonne ou mauvaise, sur le développement de la nation et sur l'histoire du monde. Des observateurs parlementaires avisés auraient pu la prévenir que, dans le monde politique, Youghal ne s'élèverait jamais au-dessus de sa situation présente : celle d'un brillant franc-tireur de l'opposition, dirigeant des incursions hardies, mais plutôt superficielles, contre la politique sans éclat et plutôt incohérente d'un gouvernement qui ne méritait guère de blâmes ni de félicitations pour son administration des Affaires étrangères. Le jeune politicien n'avait pas la force de caractère ou de conviction qui maintient naturellement un homme au premier rang des affaires publiques et qui donne à ses conseils un véritable prix ; et, d'un autre côté, il n'était pas assez dissimulé pour jouer avec bonheur au conducteur d'hommes et au créateur de mouvements. Pour le moment, cependant, sa place dans la vie publique était assez nettement délimitée pour lui donner un solide point d'appui dans ces milieux où les gens sont regardés comme des personnalités humaines, et non comme les membres d'un troupeau. La femme qu'il épouserait pourrait également, si elle avait la volonté et l'intelligence nécessaires, devenir une personnalité en vue.

Il y avait pour Elaine un baume dans cette réflexion, cependant cela ne suffisait pas pour effacer complètement la blessure d'amour-propre que Comus avait faite en lui montrant qu'il la considérait comme tout juste bonne pour lui procurer de l'argent dans les moments critiques. Elle éprouva une certaine satisfaction à remplir scrupuleusement la promesse qu'elle avait faite un peu plus tôt, en cette journée bien remplie, et elle envoya un messager porter la somme convenue. Après quoi, Elaine se sentit pleine de remords et se souvint qu'elle devait, pour être honnête, écrire à son prétendant évincé afin de lui annoncer la nouvelle aussi amicalement et aussi gentiment que possible, avant qu'elle fondît sur lui d'un autre côté. Ils s'étaient plus ou moins séparés sur une dispute, il est vrai, mais ils n'avaient guère prévu ni l'un ni l'autre le caractère définitif de cette séparation, ni la permanence du fossé qui s'était creusé entre eux ; Comus se croyait peut-être maintenant à moitié pardonné, et le réveil serait assez cruel. Cette lettre, pourtant, ne se révéla pas facile à écrire ; non seulement sa nature même présentait des difficultés, mais elle pâtissait du fait qu'Elaine avait grand désir de faire quelque chose de plus agréable qu'une lettre d'explications et d'adieux.

Elaine se sentit prise de l'envie insolite, mais irrésistible, de rendre visite à sa cousine Suzette Bradley. Elles ne se voyaient que rarement l'une chez l'autre, et très peu ailleurs. Elaine, pour sa part, ne se rappelait pas avoir jamais déploré qu'elles n'eussent pas l'occasion de se fréquenter davantage. Suzette lui accordait exactement ce rien de condescendance qu'une jeune fille médiocrement riche et excessivement terne essaie généralement d'octroyer à une relation dont elle sait la fortune et dont elle devine l'intelligence. En revanche, Elaine se servait de cette sorte d'arme qui peut être terriblement déconcertante si elle est convenablement maniée : la fausse humilité. Il n'y avait eu entre elles aucune espèce de querelle et on n'aurait légitimement pu les qualifier d'ennemies ; mais, tant qu'elles étaient ensemble, elles ne mettaient jamais bas les armes. Si un malheur de quelque importance avait frappé l'une d'elles, l'autre l'aurait sincèrement déploré, mais un léger échec lui aurait causé un sentiment très voisin de la satisfaction.

Elaine n'avait pas encore personnellement félicité Suzette depuis l'annonce officielle de ses fiançailles avec le jeune homme à la garde-robe non conformiste. L'envie d'y aller, et d'y aller tout de suite, l'emportait sur le sentiment que Comus avait droit à quelque explication. La lettre n'était encore qu'une page immaculée, suite de phrases sans ordre dans sa tête, quand elle commanda sa voiture et qu'elle enfila, avec une hâte qui n'excluait pas la réflexion, le plus somptueusement sobre de ses ensembles d'après-midi. Suzette, elle en était presque sûre, aurait encore le costume qu'elle portait au parc ce matin, costume qu'on avait voulu très recherché dans les détails et qui était accablé par une réussite excessive.

La mère de Suzette accueillit la visiteuse inattendue avec une satisfaction évidente.

Les fiançailles de sa fille, expliqua-t-elle, n'étaient pas aussi brillantes du point de vue social qu'une jeune fille aussi bien douée à tous égards que Suzette aurait été en droit de l'espérer, mais Egbert était un jeune homme parfaitement digne d'estime et de confiance ; il allait très probablement entrer sous peu au Conseil du Comté.

Quand il en serait là, il pourrait naturellement viser plus haut.

— Oui, dit Elaine, il pourrait devenir alderman.

— As-tu vu la photo où ils sont ensemble ? demanda Mrs. Brankley, abandonnant les perspectives offertes par la carrière d'Egbert.

— Non, montre-la-moi, dit Elaine manifestant un intérêt flatteur ; je n'ai encore jamais vu ce genre de choses. C'était la mode autrefois pour les fiancés de se faire photographier ensemble, n'est-ce pas ?

— C'est très à la mode maintenant, affirma énergiquement Mrs. Brankley, mais sa voix ne reflétait plus la même satisfaction.

Suzette entra dans la pièce, elle portait la robe qu'elle avait au parc le matin.

— Naturellement, maman t'a raconté tout ce qui concerne les fiançailles ! s'écria-t-elle, après quoi, elle se mit à suivre les traces de sa mère.

— Figure-toi que nous nous sommes connus à Grindelwald. Il m'appelait toujours la Fille des Glaces parce que nous avions fait connaissance sur la patinoire ! On ne peut plus romanesque, n'est-ce pas ? Ensuite, nous l'avons invité un jour à prendre le thé, et nous sommes devenus très amis. Et, ensuite, il m'a demandée en mariage.

— Il n'était pas le seul à être amoureux de Suzette, plaça rapidement Mrs. Brankley qui craignait beaucoup qu'Elaine pût supposer qu'Egbert n'avait eu qu'à demander pour obtenir. Il y avait un millionnaire américain et aussi un comte polonais d'une très vieille famille qui en étaient fous. Je t'assure qu'à plusieurs de nos thés je ne me sentais pas tranquille du tout.

— Il est certain que mon mariage avec Egbert va donner à ma vie une extension formidable, poursuivit Suzette.

— Oui, dit Elaine qui avait les yeux fixés sur les détails du costume de sa cousine.

On dit que rien n'est plus triste que la victoire, si ce n'est la défaite. Suzette commença de sentir que le côté tragique de ces deux éventualités était concentré dans l'œuvre qui lui avait procuré une satisfaction sans mélange jusqu'à l'entrée en scène d'Elaine.

— Une femme peut être tellement utile du point

de vue social pour un homme qui veut faire son chemin ! Et je suis si contente de constater que nous avons tant d'idées en commun. Nous avons dressé une liste de ce que nous estimions les cent meilleurs livres, et il y en avait beaucoup qui étaient les mêmes.

— Il a l'air d'aimer les livres, dit Elaine en lançant un regard critique à la photographie.

— Oh ! il n'a rien d'un rat de bibliothèque, dit vivement Suzette, bien qu'il ait beaucoup lu. C'est un véritable homme d'action.

— Est-ce qu'il chasse ? demanda Elaine.

— Non, il n'a guère le temps ni l'occasion de monter à cheval.

— Quel dommage ! continua Elaine. Je ne crois pas que je pourrais épouser un homme qui n'aime pas monter à cheval.

— C'est naturellement affaire de goût, dit sèchement Suzette ; les hommes de cheval ne sont généralement pas doués d'un excès d'intelligence, n'est-ce pas ?

— Il y a beaucoup de différence entre un cavalier et un homme de cheval, comme entre un homme qui sait s'habiller et un homme qui vit pour s'habiller, dit sentencieusement Elaine, et tu as pu remarquer comme il est rare qu'un homme qui vit pour s'habiller sache vraiment s'habiller. Comme disait l'autre jour une vieille dame de ma connaissance, il y a des gens qui sont nés avec le don de savoir s'habiller, il y en a qui l'acquièrent ; pour d'autres, on dirait qu'on leur a accroché leurs vêtements sur le dos.

C'était bien à lady Caroline qu'elle devait cette citation, mais la précipitation pleine de tact avec laquelle Elaine détourna les yeux de la robe de sa cousine était une trouvaille personnelle.

Un jeune homme qui venait d'entrer dans la pièce provoqua une diversion que Suzette accueillit avec un certain plaisir.

— Voilà Egbert, annonça-t-elle en cachant à peine son triomphe.

C'était du moins une satisfaction de pouvoir exhiber le captif de ses charmes vivant et en bon état. Elaine pouvait critiquer autant qu'elle voulait, mais un amoureux vivant l'emportait sur tous les cavaliers fringants et bien habillés qui n'existaient que comme une vision lointaine du délectable mari.

Egbert était un de ces hommes qui ne tiennent jamais de propos insignifiants, mais qui possèdent une provision inépuisable du modèle au-dessus. Dans n'importe quelle société où il se trouvait, en particulier à proximité immédiate d'une table à thé et entouré d'un auditoire féminin limité, il donnait l'impression d'un homme qui parlait à une réunion publique et qui serait heureux de répondre aux questions quand il aurait fini. On avait toujours l'impression qu'il ne se déplaçait jamais sans un accompagnement de salles communes éclairées au gaz, de parapluies mouillés, et d'applaudissements discrets. C'était, entre autres choses, un représentant de ce qu'il appelait la Pensée Nouvelle, pensée qui semblait se prêter parfaitement à l'emploi d'une quantité massive de phraséologie rebattue. Pendant les quelque trente ans de son existence, il n'avait probablement jamais été utile à qui que ce soit : homme, femme, enfant ou animal, mais il avait l'intention hautement proclamée de laisser ce monde meilleur, plus heureux et plus pur qu'il ne l'avait trouvé. Naturellement, il était désarmé contre toute rechute qui pourrait se produire quand il n'y serait plus. Ce n'est pas aux mortels d'assurer l'avenir, et Egbert était indéniablement mortel.

Elaine le trouva extrêmement divertissant et elle aurait certainement fait tous ses efforts pour le mettre en valeur si cela avait été nécessaire. Elle écoutait sa conversation avec l'appréciation complaisante qu'on accorde à une pièce tragique dont on peut fuir les calamités par le simple geste de quitter son fauteuil. Quand, à la fin, il arrêta le flot de ses opinions par un regard rapide à sa montre en déclarant qu'il devait s'en aller, Elaine s'attendait presque à lui voir voter des remerciements ou à être sollicitée de voter une résolution à main levée.

Quand le jeune homme eut dit à tout le monde un rapide et solennel adieu, tempéré dans le cas de Suzette par le degré exact d'intimité tendre qu'il eût été malséant d'omettre ou de dépasser, Elaine se tourna avec un air de cordiale félicitation vers sa cousine qui attendait son verdict.

— C'est exactement le mari que je t'aurais choisi, Suzette.

Pour la seconde fois, cet après-midi, Suzette sentit décliner l'enthousiasme qu'elle éprouvait pour une de ses possessions.

Mrs. Brankley flaira ce qu'il y avait d'ironique dans les félicitations de sa visiteuse.

« Elle veut probablement dire qu'il n'est pas son idéal comme mari, mais qu'il est assez bien pour Suzette », se dit-elle en grinçant intérieurement des dents. Puis, avec un sourire plein d'une écrasante condescendance, elle décocha ce qu'elle croyait être une riposte redoutable.

— Et quand allons-nous apprendre tes fiançailles, ma chère Elaine ?

— Maintenant, dit Elaine avec tranquillité.

L'effet fut pourtant magique.

— J'étais venue pour vous les annoncer, mais je voulais d'abord savoir ce qu'il en était pour Suzette. Ce sera annoncé officiellement par les journaux dans un jour ou deux.

— Mais qui est-ce ? C'est le jeune homme qui était avec toi au parc ce matin ? demanda Suzette.

— Voyons, avec qui étais-je ce matin au parc ? Un très beau garçon brun ? Oh ! non pas Comus Bassington. C'est quelqu'un que vous connaissez au moins de nom, et vous avez dû voir son portrait dans les journaux.

— Un aviateur ? demanda Mrs. Brankley.

— Courtenay Youghal, dit Elaine.

Mrs. Brankley et Suzette s'étaient souvent représenté dans le secret de leur âme le jour où Elaine devrait venir offrir ses félicitations à sa cousine fiancée. Cela n'avait jamais eu le moindre rapport avec ce qui venait de se passer.

En rentrant de son agréable visite de l'après-midi, Elaine trouva une lettre portée par un messager spécial qui l'attendait. C'était de Comus qui la remerciait de la somme qu'elle lui avait prêtée et qui la lui renvoyait.

« Je n'aurais probablement jamais dû vous le demander, écrivait-il, mais vous êtes toujours si délicieusement solennelle quand il s'agit de questions d'argent que je n'ai pas pu résister. Je viens d'apprendre vos fiançailles avec Courtenay. Félicitations pour vous deux. Je suis beaucoup trop à sec pour vous acheter un cadeau de noces ; je vais donc vous rendre le plat à tartines. Heureusement, il porte toujours votre chiffre. Je penserai avec délices à Courtenay et à vous mangeant les tartines de ce plat pendant le restant de vos jours. »

C'était là tout ce qu'il avait à dire sur le sujet, alors qu'Elaine s'était préparée à écrire une lettre longue et affectueuse pour clore un chapitre important de sa vie et de celle de Comus. Il n'y avait aucune trace de regret ou de reproche dans sa courte lettre ; il était sorti de leur féerie commune aussi brusquement qu'elle, et avec beaucoup plus d'insouciance selon toute apparence. En lisant et relisant cette lettre, Elaine ne pouvait arriver à démêler si c'était simplement une façon courageuse de railler l'adversité ou si elle reflétait fidèlement tout le prix que Comus attachait au bien qu'il avait perdu.

Et elle ne devait jamais le savoir. S'il y avait un

don inutile que Comus possédât jusqu'à la perfection, c'était le don de se rire du Destin, même sous les coups les plus durs. Un jour, peut-être, le rire et la raillerie se tairaient sur les lèvres de Comus, le Destin se révélerait le plus fort et rirait le dernier.

CHAPITRE XII

Une porte se referma et Francesca Bassington vint s'asseoir seule dans ce salon qu'elle aimait tant. Le visiteur qui avait savouré l'hospitalité de sa table à thé venait juste de s'en aller. Le tête-à-tête n'avait pas été agréable, du moins pour Francesca, mais il lui avait apporté le renseignement qu'elle cherchait. Son rôle de spectateur à distance respectueuse ne lui avait forcément guère apporté de lumières sur les progrès réalisés par Comus dans la cour aux conséquences incalculables qu'il faisait à Elaine, mais, durant les quelques heures qui venaient de s'écouler, l'optimisme de Francesca avait, d'après les indices faibles, mais significatifs, fait place à la conviction que les choses avaient mal tourné. Elle avait passé la nuit précédente chez son frère et n'avait naturellement pas vu Comus dans cette région qu'il n'appréciait guère ; il n'avait pas paru davantage à la table du breakfast le lendemain matin. Elle l'avait rencontré dans le hall à onze heures, et il l'avait croisée très vite en l'informant simplement qu'il ne rentrerait pas avant le dîner ce soir-là. Sa voix était on ne peut plus maussade et sa figure accusait un air de défaite, légèrement dissimulé sous une expression de défi ; ce n'était pas le défi d'un homme en train de perdre, mais de celui qui a déjà perdu.

A mesure que la journée s'écoulait, Francesca se sentait de plus en plus persuadée que les choses avaient mal tourné entre Comus et Elaine de Frey. Elle déjeuna chez une amie, mais c'était dans une région où des informations mondaines d'un caractère bien particulier n'avaient aucune chance de parvenir rapidement. A la place des nouvelles qu'elle désirait avidement, Francesca dut écouter des commérages banals et des réflexions sur les flirts, les « histoires » et les « amours » d'un chapelet de relations dont les projets matrimoniaux l'intéressaient à peu près autant que la vie de famille des volailles aquatiques du parc Saint-James.

Une promenade à travers le parc pour rentrer chez elle ne lui apporta aucune lumière supplémentaire sur le sujet qui occupait toutes ses pensées, et, qui pis est, elle l'amena, sans possibilité d'évasion, à proximité de salut de Merla Blathlington qui s'acharna sur elle avec l'enthousiasme d'une mouche tsé-tsé solitaire rencontrant un avant-poste de la civilisation.

— Figurez-vous, bourdonna-t-elle avec inconséquence, que ma sœur du Cambridgeshire a fait éclore trente-trois poulets Orpington blancs dans sa couveuse !

— Quels œufs y avait-elle mis ? demanda Francesca.

— Oh ! une race très rare d'Orpington blancs.

— Alors, je ne vois pas ce que le résultat a d'extraordinaire. Si elle avait mis des œufs de crocodile et fait éclore des Orpington, il y aurait peut-être eu lieu de l'écrire à *Country Life*.

— Ces petites chaises vertes qu'on met dans les jardins sont vraiment des objets comiques et charmants, dit Merla en partant sur un nouveau sujet ; elles ont toujours l'air si drôle et si intelligent quand elles sont plantées sous les arbres par paires comme si elles avaient un entretien sentimental ou une discussion sur un scandale ultra-confidentiel. Si seulement elles pouvaient parler, que de tragédies et de comédies elles pourraient raconter, que de flirts et de demandes en mariage !

— Soyons pieusement reconnaissantes qu'elles en soient incapables, dit Francesca en frissonnant au souvenir de la conversation du déjeuner.

— Naturellement, on serait obligé de faire attention à ce qu'on dirait devant elles (ou plutôt au-dessus d'elles), continua de plus belle Merla, lorsqu'elle aperçut, au grand soulagement de Francesca, une autre personne de connaissance assise dans une solitude sans défense, qui permettait d'espérer un auditoire plus durable que sa compagne actuelle dont la démarche était très rapide.

Francesca se trouva donc libre de retourner à son salon de Blue Street pour attendre avec toute la patience qu'elle possédait la venue de quelque visiteur susceptible de faire la lumière sur le sujet qui l'obsédait. L'arrivée de George Saint-Michael fut accueillie comme un présage de mauvaises nouvelles, mais, en tout cas, de nouvelles, et elle le reçut presque cordialement.

— Eh bien ! vous voyez que je ne me trompais pas beaucoup à propos de Miss de Frey et de Courtenay Youghal, n'est-ce pas ? susurra-t-il presque avant de s'asseoir.

Maintenant que le coup était tombé et qu'elle connaissait toute sa force, les sentiments de Francesca envers le porteur de mauvaises nouvelles qui, bien installé dans son fauteuil, mordillait tranquillement les petits gâteaux qu'elle lui avait offerts tout en répandant à ses pieds des bribes de commérages insipides, ses sentiments se traduisaient par une antipathie profonde. Elle n'était pas loin d'envisager avec sympathie, ou en tout cas de comprendre, les mobiles qui poussaient des despotes orientaux à infliger la mort ou un châtiment ignominieux aux messagers annonciateurs de revers et de défaites, et

Saint-Michael, Francesca le savait parfaitement, n'ignorait rien du fait qu'elle avait concentré ses vœux et ses espérances sur la possibilité d'avoir Elaine pour belle-fille ; toutes les remarques ronronnantes que lui soufflait sa petite âme mesquine portaient la marque d'une méchanceté dissimulée, mais aisément reconnaissable. Heureusement pour les capacités d'endurance mondaine de Francesca qui avaient été l'objet d'épreuves raffinées et réitérées ce jour-là, Saint-Michael s'était organisé un petit horaire bien rempli de visites d'après-midi, et, au cours de chacune d'elles, la tâche qu'il s'était assignée de prévenir et d'embellir les annonces de journaux sur les fiançailles Youghal-de Frey devait être rapidement, mais parfaitement, exécutée.

— Ce sera vraiment un des couples les plus beaux et les plus remarqués de la saison, n'est-ce pas ? cria-t-il en guise d'adieu.

La porte se referma, et Francesca Bassington, restée seule, s'assit dans son salon.

Avant de se livrer au luxe amer d'une méditation sur la ruine de ses espérances, Francesca dut, par prudence, prendre quelques mesures de précaution contre une intrusion fâcheuse. Elle appela sa femme de chambre qui venait d'expédier hâtivement le départ de Saint-Michael et lui intima cet ordre :

— Je ne suis pas à la maison cet après-midi pour lady Caroline Benaresq.

À la réflexion, Francesca étendit l'interdiction à tout visiteur éventuel et elle appela Comus à son club pour lui demander de venir la voir aussitôt qu'il pourrait, avant l'heure de s'habiller pour le dîner. Alors, elle s'assit pour réfléchir, et ses réflexions n'étaient pas de celles qui peuvent trouver un soulagement dans les larmes.

Elle s'était bâti un château d'espérances et ce n'était pas un château en Espagne, mais, au contraire, un édifice situé du bon côté des Pyrénées.

C'était une solide fondation sur laquelle on pouvait construire. La fortune de Miss de Frey était une fortune sûre et indiscutable ; sa sympathie pour Comus avait été un fait évident ; la cour qu'il lui avait faite, une réalité manifeste. Les jeunes gens avaient souvent été vus ensemble et leurs noms avaient naturellement été accouplés dans les commérages matrimoniaux du jour. La seule ombre sérieuse au tableau, c'était la présence persistante de Courtenay Youghal au premier ou au deuxième plan. Et, maintenant, l'ombre s'avançait soudain comme une réalité et le château d'espérances n'était plus qu'une ruine, un mélange affligeant de poussières et de débris qui exhibait encore l'armature générale de ses pièces d'habitation pour railler son architecte déconfit. L'inquiétude quotidienne que lui causait Comus, par ses manières extravagantes et son caractère intraitable, avait été graduellement apaisée par la perspective de lui voir faire un mariage avantageux qui, d'un bon à rien et d'un aventurier, l'aurait transformé en un riche oisif. Modelé par l'influence inventive d'une femme ambitieuse, il aurait même pu devenir un homme doué de quelque but précis dans la vie. Cette perspective s'était évanouie avec une rapidité cruelle et les inquiétudes revenaient en foule, plus pressantes que jamais. Le jeune homme avait eu une belle occasion de courir sa chance sur le marché et il l'avait laissée passer ; s'il voulait diriger ses attentions vers une autre jeune fille bien dotée, il serait aussitôt classé comme coureur de dot et c'était de nature à rendre suspect l'amoureux le plus épris. Sa sympathie pour Elaine était évidemment sincère dans son genre, quoiqu'il eût peut-être été téméraire d'y voir quelque sentiment plus profond, mais, bien que stimulé par l'aiguillon de son propre penchant, il n'avait pu réussir à remporter le prix dont la proximité semblait pourtant devoir le tenter. Et, dans la ruine des projets de Comus, Francesca voyait une menace pour les siens. La vieille crainte de jouir pour un temps précaire de sa résidence actuelle déchaînait encore une fois ses terreurs familières. Un jour, elle le prévoyait, dans un avenir affreusement proche, George Saint-Michael grimperait à petits pas l'escalier de Francesca pour venir lui annoncer d'une voix essoufflée qu'Emmeline Chetrof allait se marier avec celui-ci ou celui-là à la chapelle des Gardes ou devant le représentant de l'état civil, suivant le cas, et alors sa vie se trouverait déracinée de son foyer, de son havre de Blue Street, et elle n'aurait plus qu'à s'éloigner vers quelque résidence bon marché, déplaisante et lointaine, où le majestueux Van der Meulen et la multitude d'objets sympathiques qui l'entouraient seraient expédiés et emmagasinés dans un cadre sans âme, comme d'élégants émigrés qui feraient connaissance avec les mauvais jours. C'était une chose impossible à envisager. Et, si Comus avait habilement couru sa chance et s'il était devenu un fils disposant d'une belle fortune au lieu d'une charge, la tragédie que Francesca voyait poindre devant elle aurait pu être évitée, ou, en mettant les choses au pis, réduite à des proportions supportables. Quand on a de l'argent, le problème de savoir où habiter se rapproche sensiblement de la simple question de savoir où l'on veut habiter, et une belle-fille riche aurait certainement veillé à ce que Francesca n'eût point à quitter ce mile carré qui était sa Mecque, pour émigrer vers quelque désert de briques et de mortier. Si on ne pouvait trouver un terrain d'entente pour la maison de Blue Street, il y avait d'autres résidences agréables qui auraient très bien pu consoler Francesca de son Eden perdu. Et, maintenant, ce maudit Courtenay Youghal aux yeux railleurs et à l'air cynique était intervenu et il avait détruit ces rêves dorés et ces projets dont l'échec devait bouleverser entièrement l'avenir de Francesca. Elle avait certainement quelque raison d'éprouver de l'amertume contre le jeune homme en question, et elle n'était pas disposée à envisager avec indulgence la façon désastreuse dont Comus avait mené sa barque. Le salut par lequel Francesca accueillit Comus lorsqu'il finit par arriver n'était pas conçu dans un style compatissant.

— Ainsi, tu as laissé passer ta chance avec l'héritière, fit-elle brusquement remarquer.

— Oui, dit froidement Comus. Courtenay Youghal l'a ajoutée à ses autres succès.

— Et toi, tu l'as ajoutée à tes autres échecs, continua impitoyablement Francesca dont le caractère avait subi ce jour-là des épreuves d'une force peu commune. Il me semblait que tu avais l'air de t'entendre si bien avec elle, poursuivit Francesca, tandis que Comus persistait à se taire.

— Nous nous accordions très bien, dit Comus.

Et il ajouta avec une brusquerie voulue :

— Je crois que je l'ai dégoûtée en lui empruntant de l'argent. Elle a cru que c'était tout ce qui m'intéressait.

— Tu lui as emprunté de l'argent ! dit Francesca, tu as été assez bête pour emprunter de l'argent à une jeune fille qui avait de la sympathie pour toi ! et cela, pendant que Courtenay Youghal attendait le moment d'intervenir pour te supplanter !

La voix de Francesca tremblait de misère et de rage. Ce coup de chance extraordinaire qui paraissait sur le point de tomber à leurs pieds avait été écarté par un acte ou une série d'actes empreints d'une folie gratuite et lamentable. Le beau navire avait été perdu faute du traditionnel sou de goudron. Comus avait payé quelques notes pressantes de tailleurs ou de marchands de tabac grâce à un prêt consenti à contrecœur par la jeune fille qu'il courtisait, et il avait renoncé à toute chance d'avoir une femme riche et désirable à tous égards. Comus aurait pu s'emparer d'Elaine de Frey et de sa fortune, mais, comme d'habitude, il s'était précipité pour consommer sa propre perte. Cette fois-ci, le calme n'était pas venu avec la réflexion ; plus Francesca pensait à la question, plus elle était exaspérée. Comus se jeta sur une chaise basse et il observa sa mère sans montrer la moindre trace d'embarras ou de sympathie pour son affliction.

Il était venu vers Francesca en se sentant assez malheureux et avec l'amère conscience de sa défaite, et elle l'avait accueilli par un sarcasme et sans le moindre soupçon de sympathie ; il décida donc de la torturer en lui révélant toute la stupidité de l'insignifiance de la chose qui s'était interposée entre la réalisation et la ruine des espérances qu'elle nourrissait pour lui.

— Et penser que Courtenay Youghal va s'en emparer ! dit amèrement Francesca. J'ai toujours déploré ton intimité avec ce garçon.

— Ce n'est guère mon intimité avec lui qui a décidé Elaine à l'accepter, dit Comus.

Francesca comprit la futilité de tout reproche supplémentaire. Quoique le dépit eût amené des larmes dans ses yeux, elle regarda le beau jeune homme qui était assis en face d'elle, raillant son propre malheur, indifférent à sa folie jusqu'à la perversité, presque indifférent à ses conséquences, semblait-il.

— Comus, dit-elle avec calme et lassitude, la légende de la *Boîte de Pandore* est exactement l'inverse de ton histoire. Tu as tout le charme et tous les avantages qu'un garçon peut souhaiter pour aider à réussir dans le monde, et, derrière tout cela, il y a le don fatal et sans rémission d'une nature parfaitement désespérante.

— Je crois, dit Comus, que c'est la meilleure description de moi que personne ait jamais donnée.

Il y eut à ce moment un élan de sympathie et quelque chose qui ressemblait vraiment à de l'affection entre la mère et le fils. Ils paraissaient bien seuls au monde en cette minute et, dans l'écroulement de leurs espérances et de leurs projets, on pouvait entrevoir, comme une faible lueur, l'occasion pour chacun de tendre la main à l'autre et de ranimer dans leurs vies un vieil amour défunt qui était le sentiment le meilleur et le plus fort qu'ils eussent jamais connu l'un et l'autre. Mais la piqûre de la déception était trop profonde et le flot de rancune s'élevait trop haut de chaque côté pour laisser cette occasion luire plus d'un instant avant de s'éteindre complètement. Le vieux sujet d'éloignement revint au premier plan : la question du budget, et la mère et le fils se dévisagèrent à nouveau comme des adversaires sur un champ de bataille âprement disputé.

— Ce qui est fait est fait, dit Francesca avec un mouvement d'impatience tragique qui démentait la philosophie de ses paroles. On ne gagne rien à crier pour du lait répandu. Pourtant, il faut penser au présent et à l'avenir. On ne peut continuer à vivre perpétuellement dans un bonheur illusoire.

Alors, elle se ressaisit et passa à la délivrance d'un ultimatum que l'emprise des circonstances ne lui permettait pas de différer plus longtemps.

— Cela ne sert pas à grand-chose de te parler d'argent, une longue expérience m'a permis de le constater, mais il y a une seule chose que je peux te dire ; c'est qu'au milieu de la saison je suis déjà obligée de penser à quitter la ville. Et toi, j'en ai bien peur, tu vas être obligé de penser à quitter l'Angleterre dans un délai aussi rapide. Henry m'a dit l'autre jour qu'il pourrait te trouver quelque chose dans l'Ouest africain. Tu as eu une occasion de faire quelque chose qui aurait mieux valu pour toi du point de vue financier, et tu l'as perdue en empruntant un peu d'argent comptant pour tes plaisirs ; maintenant il faut donc que tu prennes ce que tu peux trouver. Tu ne seras pas très bien payé au début, mais la vie n'est pas chère dans ces pays-là.

— L'Ouest africain, dit pensivement Comus, de nos jours, c'est ce qui remplace les *oubliettes* démodées, un dépôt pratique pour les importuns. Ce cher oncle Henry peut bien parler lugubrement du fardeau de l'Empire, mais il reconnaît son utilité comme consommateur des rebuts.

— Mon cher Comus, tu parles en ce moment de l'Ouest africain d'hier. Pendant que tu perdais ton temps à l'école et que tu faisais encore bien pis dans le West End, d'autres s'attaquaient aux maladies tropicales, et la côte de l'Ouest africain, qui était un lieu mortel, est en train de se transformer rapidement en sanatorium.

Comus rit ironiquement.

— Quel bel échantillon de prose persuasive ! Cela rappelle les Psaumes, et plus encore les prospectus de voyage. Si vous étiez honnête, vous confesseriez que vous l'avez prise telle quelle dans un projet pour encourager l'industrie du caoutchouc ou celle du rail. Sérieusement, mère, s'il faut que je gagne ma vie à la sueur de mon front, pourquoi ne puis-je le faire en Angleterre ? Je pourrais entrer dans une brasserie, par exemple.

Francesca secoua énergiquement la tête ; elle voyait facilement le genre de travail sérieux que Comus était capable d'accomplir avec l'aimant de la ville et d'engageantes tentations de moindre importance à proximité, telles que courses de chevaux et autres festivités du même genre, mais, en dehors de cet aspect de la question, il y avait un obstacle financier qui l'empêchait de trouver un emploi en Angleterre.

— Les brasseries et autres établissements comparables demandent de l'argent au départ, il faut payer des primes ou investir des capitaux dans l'entreprise, et ainsi de suite. Nous n'avons pas d'argent disponible, et nous arrivons péniblement à payer nos dettes comme cela ; inutile d'y penser.

— Est-ce que nous ne pourrions pas vendre quelque chose ? demanda Comus.

Il ne fit aucune suggestion précise quant à l'objet de ce sacrifice éventuel, mais il regardait nettement le Van der Meulen.

— Quand je serai morte, on pourra vendre et disperser mes affaires ; tant que je serai vivante, je préfère les garder près de moi.

Les gronderies, elle le savait depuis longtemps, n'étaient qu'une perte de temps et d'énergie inutile lorsqu'il s'agissait de Comus, mais, ce soir-là, sa langue se délia, uniquement pour soulager le trop-plein de ses sentiments. Il restait assis, et il écoutait sans faire le moindre commentaire, bien qu'elle laissât tomber exprès des remarques blessantes qui auraient dû, selon Francesca, l'amener à se défendre ou à protester. C'était une impitoyable mise en accusation ; le plus pénible était qu'elle fût si irréfutablement vraie, le plus tragique était qu'elle vînt peut-être de la seule personne au monde dont l'opinion eût jamais compté pour lui. Et il l'écoutait sans bouger, aussi silencieux et peu ému en apparence que si elle eût répété quelque comédie de salon. Quand elle eut dit ce qu'elle avait à dire, Comus n'employa pas pour riposter une réponse pleine de douceur qui détourna la colère, mais la réponse inconséquente qui l'enterra provisoirement.

— Allons nous habiller pour le dîner.

Ce repas, comme tant d'autres que Francesca et Comus avaient pris en tête à tête, fut silencieux. Maintenant que les entières conséquences du désastre avaient été envisagées sous tous leurs aspects, il n'y avait plus rien à dire. Tout effort pour oublier la situation et passer à des sujets moins brûlants aurait été une dérision et une feinte qu'ils ne se seraient ni l'un ni l'autre donné la peine d'entretenir. Le repas continua donc dans cette intimité lugubre et contrainte de deux êtres séparés par un gouffre d'amertume et dont les cœurs étaient durcis par une rancune réciproque.

Francesca éprouva un sentiment de soulagement quand elle put donner à la femme de chambre l'ordre de servir le café en haut. Comus arborait un air maussade et renfrogné, mais il releva la tête pendant qu'elle se levait en se préparant à quitter la pièce et il éclata de son petit rire un peu ironique :

— Vous n'avez pas besoin de prendre cet air tragique, dit-il, vous allez avoir ce que vous voulez : j'irai m'enterrer dans l'Ouest africain.

CHAPITRE XIII

Comus, après avoir réussi à trouver sa place à l'orchestre du *Strow Exchange Theater,* se retourna pour observer le flux de gens distingués et distingables qui s'exhibaient à une première en pleine saison, comme si c'était la chose la plus naturelle du monde. Le parterre et le balcon regorgeaient déjà d'une multitude tendue, impatiente et aux aguets qui attendait le lever du rideau avec la patience avide d'un terrier observant un être humain qui se prépare négligemment à sortir.

— Quelle est cette femme aux cheveux châtains dont les yeux brillent d'une combativité impressionnante ? demanda un homme qui était assis juste derrière Comus. On a l'impression qu'elle aurait pu construire le monde en six jours et le détruire le septième.

— J'ai oublié son nom, dit son voisin ; elle écrit. C'est l'auteur de ce fameux livre, *La Dame qui désirait que ce soit dimanche,* vous savez. Autrefois, il était convenu que les femmes écrivains devaient être simples et mal fagotées ; maintenant nous avons passé à l'autre extrême, et nous les bâtissons d'après des plans follement décoratifs.

Un bourdonnement suscité par l'arrivée d'une personnalité connue s'éleva des premières rangées du parterre tandis que ceux qui n'avaient pas la chance d'être aussi bien placés allongeaient désespérément le cou. Ces manifestations saluaient l'arrivée de Sherald Blaw, l'auteur dramatique qui s'était découvert lui-même et qui avait si volontiers fait profiter l'univers de sa découverte. Lady Caroline, qui dirigeait déjà de sa loge quelques petits assauts de conversation, contempla gentiment le nouveau venu, pendant un instant, puis elle se tourna vers l'archidiacre aux cheveux argentés qui était assis près d'elle.

— On dit que le pauvre homme est hanté par la crainte de mourir pendant une période d'élections générales, ce qui rognerait sérieusement ses notices nécrologiques. Notre système de partis est un véritable fléau à son avis, parce qu'il occupe tant de place dans la presse.

L'archidiacre sourit avec indulgence. En tant qu'homme, il était si délicieusement mondain qu'il méritait absolument le nom de « divin mondain » qui lui avait été décerné par une duchesse pleine d'admiration, et tout son être offrait l'exemple d'une sainteté tellement sincère que, si les clés du Paradis étaient détenues par un autre, il possédait en tout cas un passe-partout personnel pour accéder à cette résidence.

— C'est vraiment le signe d'un curieux ordre de choses : l'Eglise, en ma personne, sympathise avec le message de Sherald Blaw, tandis que ni l'homme ni son message n'obtiennent l'approbation d'incroyants comme vous, lady Caroline ?

Lady Caroline cligna de l'œil :

— Mon cher archidiacre, dit-elle, il ne peut plus y avoir d'incroyants de nos jours. Les défenseurs du christianisme ne laissent plus rien à ne pas croire.

L'archidiacre se leva en gloussant avec ravissement.

— Il faut que j'aille dire cela à De la Poulett, dit-il en indiquant une silhouette de prêtre assise au troisième rang d'orchestre ; il passe sa vie à expliquer du haut de sa chaire que la gloire du christianisme réside dans le fait qu'il n'est pas vrai et qu'on ait pourtant été obligé de l'inventer.

La porte de la loge s'ouvrit et Courtenay Youghal fit son entrée ; il était accompagné de subtils effluves de Chaminade et d'une atmosphère de tension politique. Le gouvernement avait perdu les bonnes grâces de ses soutiens politiques, et ceux qui n'étaient pas dans le secret s'empressaient de prédire une crise sérieuse. Cette crise devait être provoquée par un vote imminent, à l'occasion de l'examen d'un important projet de loi par une commission. Cela se passait le samedi soir et, à moins de quelque cajolerie couronnée de succès avant le lundi après-midi, les ministres risqueraient, selon toute apparence, d'être battus.

— Ah ! voici Youghal, dit l'archidiacre ; il pourra nous expliquer ce qui va se passer dans les quarante-huit heures qui vont suivre. J'ai entendu le *Premier* dire que c'était une question de conscience, et qu'ils s'y tiendront ou qu'ils en tomberont.

Tout le monde savait que ses espérances et ses sympathies allaient du côté ministériel.

Youghal salua lady Caroline et il s'écroula gracieusement sur une chaise tout à fait en avant de la loge. Le bourdonnement qui salue les personnalités connues se propagea lentement à travers le théâtre.

— Pour le gouvernement, tomber sur une question de conscience, dit-il, ce serait comme pour un homme de se couper avec un rasoir de sûreté.

Lady Caroline ronronna doucement en signe d'approbation.

— Je crains que ce ne soit vrai, archidiacre, dit-elle. Personne ne peut sérieusement défendre un gouvernement qui est au pouvoir depuis plusieurs années.

L'archidiacre se réfugia dans de légères escarmouches.

— Je crois que lady Caroline envisage de faire de

vous un grand homme d'Etat socialiste, Youghal, fit-il remarquer.

— De quoi s'agit-il, dans la pièce de ce soir ? demanda une pâle jeune femme qui n'avait pas participé à la conversation.

— Je ne sais pas, dit lady Caroline, mais j'espère que c'est ennuyeux. S'il y a la moindre conversation brillante, je vais fondre en larmes.

Le rideau se leva.

La pièce promettait d'être un succès. L'auteur, résistant à la tentation de briller, avait voulu intéresser et, autant que possible, car il n'avait pas oublié que sa pièce était une comédie, il s'était efforcé d'être amusant.

Le rideau se baissa sur le premier acte, tandis que des applaudissements éclataient comme un acompte encourageant, et l'auditoire tourna le dos à la scène pour s'occuper à nouveau de sa propre existence. L'auteur de *La Dame qui désirait que ce soit dimanche* s'était précipitée dans la loge de lady Caroline comme un tourbillon qui reprend des forces, dompté, mais riche de tempêtes en puissance.

— Je viens de marcher de tout mon poids sur le pied d'un célèbre éditeur en quittant mon fauteuil, cria-t-elle en éclatant d'un rire ravi. Il a pris cela d'une façon exquise. Je lui ai dit que j'espérais ne pas lui avoir fait mal, et il a dit : « Parce qu'on fait aux gens des contrats très durs, vous croyez probablement qu'on doit être très dur soi-même. » Est-ce que ce n'est pas chou de sa part ?

— Je n'ai jamais marché sur un chou, dit lady Caroline, je n'ai donc aucune idée de ce qu'il ferait en de telles circonstances.

— Racontez-moi, dit l'auteur en se mettant au premier rang de la loge, afin de mieux examiner le théâtre et peut-être aussi guidée par le désir charitable de faciliter les choses aux gens qui auraient l'envie bien excusable de l'examiner elle-même ; je vous en prie, racontez-moi où est la jeune fille à laquelle Youghal est fiancé ?

On lui désigna Elaine qui était assise au quatrième rang d'orchestre, à l'autre bout de cette même rangée où Comus avait sa place. Une fois, durant l'entracte, elle s'était tournée pour lui faire un petit salut amical pendant qu'il était debout dans un des passages latéraux, mais, à ce moment-là, il était absorbé par la contemplation de sa propre image dans une glace. Les yeux bruns et graves et les yeux gris-vert et railleurs avaient sondé leurs profondeurs pour la dernière fois.

Pour Comus, cette première représentation, son brillant auditoire, ses groupes et ses coteries de brillants causeurs et, même, le repoussoir fourni par d'ennuyeux bavards, son atmosphère pénétrante d'agitation théâtrale et mondaine, tout cela composait une tragédie dans laquelle il tenait le premier rôle. C'était la vie qu'il connaissait, qu'il adorait, c'était son élément, et c'était là vie qu'il allait abandonner. Elle continuerait à renaître perpétuellement d'elle-même avec ses soucis théâtraux, ses soucis mondains, et les soucis du monde extérieur qui s'infiltraient sournoisement, avec la même foule animée et jacassante où les gens qui ont fait quelque chose sont désignés par ceux qui les reconnaissent à ceux qui ne les reconnaissent pas : tout cela continuerait avec une animation, un éclat et un bonheur infatigables, et pour lui cette vie se serait arrêtée net. Il serait dans quelque coin perdu et incendié par le soleil où des indigènes, des chiens perdus et des corbeaux à la voix rauque formeraient un cadre ironique à la solitude humaine, où il faudrait transpirer pendant des miles pour essayer de rencontrer un percepteur ou un agent de police avec lequel, en mettant les choses au mieux, on n'aurait même pas deux idées en commun, où la société féminine serait représentée, à de longs intervalles, par quelque femme missionnaire desséchée par le climat ou par quelque épouse de fonctionnaire, où la nourriture, la maladie et la science vétérinaire deviendraient finalement les trois seules questions que l'esprit s'attacherait à résoudre, ou plutôt dans lesquelles il sombrerait. C'était là cette vie qu'il prévoyait et qu'il redoutait, et c'était la vie vers laquelle il allait. Pour un jeune homme qui l'aurait affrontée au sortir de quelque presbytère campagnard, d'un milieu où une exposition de fleurs et un match de cricket formaient les points de repère mondains de l'année, le sentiment d'exil aurait pu être supportable, aurait même pu disparaître dans les impressions de changement et d'aventure. Mais Comus avait trop vécu au cœur même des choses pour considérer une vie à contre-courant comme autre chose qu'une stagnation, et un être jeune considère avec raison la stagnation comme une offense contre la nature et la raison, comparable à cette ironie dénaturée qui envoie les invalides décrépits courir péniblement le monde pour enfermer des panthères dans des cages étroites. Il allait être mis de côté comme on met un vin de côté, mais pour s'abîmer au lieu de se bonifier dans l'opération, pour perdre sa jeunesse, sa santé, sa beauté dans un monde où la jeunesse, la santé et la beauté ont tant d'importance, et où le temps ne rend jamais les biens perdus. Et ainsi, pendant que le rideau s'abaissait jusqu'à balayer le sol à la fin de chaque acte, Comus se sentait lui-même balayé par un sentiment de dépression et d'abandon ; il contemplait amèrement sa dernière soirée de gaieté mondaine qui s'écoulait vers sa conclusion. Dans moins d'une heure, elle serait finie ; dans quelques mois, ce serait un souvenir irréel.

Au cours du troisième entracte, pendant qu'il promenait ses yeux vers le théâtre qui résonnait du bruit des conversations, quelqu'un lui toucha le bras. C'était lady Veula Groot.

— Dans une semaine, vous serez probablement en pleine mer ? dit-elle. J'irai à votre dîner d'adieu, vous savez ; votre mère vient de m'inviter. Je ne vais pas vous raconter la traditionnelle blague comme quoi cela vous plaira tellement et ainsi de suite. Je me dis parfois que l'un des avantages de l'enfer, ce sera que personne n'aura l'impertinence de vous faire remarquer que vous êtes vraiment plus à votre aise que vous ne le seriez partout ailleurs. Comment trouvez-vous la pièce ? Evidemment, le dénouement est facile à prévoir : elle ira trouver son mari pour lui annoncer que l'enfant qu'ils désiraient tant va naître, et cette nouvelle engendrera un apaisement général. C'est extrêmement pratique de conclure une comédie par le commencement d'une tragédie pour quelqu'un d'autre. Et tout le monde partira en disant : « Je suis content que cela finisse bien. »

Lady Veula retourna vers son fauteuil avec son charmant sourire sur les lèvres et son regard d'infinie lassitude dans les yeux.

L'entracte, le dernier entracte, tirait à sa fin et l'assistance commençait à diriger une attention inquiète vers la scène où la dernière phase de la pièce allait se dérouler.

A ce moment, elle entendit la petite voix essoufflée de George Saint-Michael qui marmottait une nouvelle pour l'édification de Serena Golackly et de tous ceux qui pourraient avoir envie de l'écouter. Francesca se raidit dans une brusque attention.

— ... Emmeline Chetrof avec un garçon qui travaille dans l'Administration des Forêts indiennes. Il n'a pas autre chose que son salaire et ils ne pourront pas se marier avant quatre ou cinq ans ; c'est absurde de se fiancer pour si longtemps, vous ne trouvez pas ? C'était bon pour l'époque des patriarches d'attendre une femme sept ans, quand on en avait probablement d'autres en attendant et qu'on vivait assez vieux pour célébrer son propre tricentenaire, mais, dans les circonstances actuelles, cela paraît une combinaison ridicule.

Saint-Michael parlait presque comme s'il s'agissait d'un grief personnel. Un projet de mariage qui coupait court à tous les charmants petits détails que l'on peut colporter sur les demoiselles d'honneur et la lune de miel et les tantes récalcitrantes et le reste, et qui y coupait court pour un nombre indéfini d'années, cela lui semblait presque indécent ; et le fait d'être à peu près seul à connaître un événement récent qu'on entrevoyait d'aussi loin qu'une élection présidentielle ou le remplacement d'un vice-roi ne lui apportait guère de satisfaction ou d'importance.

Mais, pour Francesca qui avait écouté avec une attention frémissante, dès qu'elle avait entendu mentionner le nom d'Emmeline Chetrof, ces nouvelles arrivèrent comme un flot libérateur et béni. A moins d'entrer au couvent et de prononcer ses vœux de célibat, Emmeline ne pouvait guère être plus agréable à Francesca qu'en se liant à un amoureux nanti d'une situation telle que le mariage devait être remis jusqu'à un avenir lointain. Pendant quatre ou cinq ans, Francesca allait jouir en toute tranquillité de la maison de Blue Street, et, quand cette période serait révolue, on ne savait pas ce qui pouvait arriver. Les fiançailles pourraient traîner indéfiniment, elles pourraient même ne pas résister au poids des années, comme cela arrive parfois lorsque le mariage est différé. Emmeline pourrait se dégoûter de son amoureux absent et pourrait ne jamais le remplacer. Un bienheureux espoir de se voir locataire à perpétuité dans sa résidence actuelle s'agita une fois encore dans l'esprit de Francesca. Tant qu'il n'avait pas été question d'Emmeline sur le marché du mariage, on avait pu craindre de voir l'annonce redoutée : « Promesse de mariage qui se réalisera bientôt » accolée à son nom. Et, maintenant, il y avait promesse de mariage, et elle ne se réaliserait pas bientôt, ni même peut-être jamais. La nouvelle de Saint-Michael devait être exacte en l'occurrence ; il n'aurait jamais inventé une information matrimoniale qui laissât si peu de place à cette catégorie de détails supplémentaires qu'il adorait fournir. Pendant que Francesca se retournait pour assister au quatrième acte de la pièce, son âme chantait un *paean* de gratitude et d'ivresse. On aurait cru que quelque artisan envoyé par les dieux avait renforcé à l'aide d'une corde substantielle le fil de crin qui maintenait l'épée de Damoclès au-dessus de sa tête. Son amour pour sa maison, pour ses biens domestiques précieusement accumulés et pour sa vie mondaine pouvait une fois encore s'épanouir librement aujourd'hui et se nourrir d'espoirs futurs. Elle était encore assez jeune pour que quatre ou cinq ans lui parussent longs et, ce soir-là, elle était assez optimiste pour voir l'avenir en beau lorsque cette période serait écoulée. Elle ne comprit pas grand-chose au quatrième acte qui était consacré à une réconciliation soigneusement gardée pour la fin, mais manifestement imminente, entre les principaux personnages, si ce n'est qu'elle entendit vaguement qu'il finissait bien. Pendant que les lumières se rallumaient, Francesca regarda autour d'elle, avec un intense sentiment de sympathie, l'auditoire qui se dispersait ; même le spectacle d'Elaine de Frey et de Courtenay Youghal quittant le théâtre ensemble ne lui inspira pas le dixième de la contrariété qu'elle avait ressentie à leur entrée. L'invitation de Serena à venir souper au *Savoy* était exactement ce qui convenait à cet état d'ivresse. Ce serait un dénouement tout indiqué et parfaitement approprié à une soirée de bon augure.

Comus s'éloigna lentement et comme à regret des fauteuils d'orchestre ; si lentement qu'on avait déjà éteint les lumières et qu'on recouvrait les dorures richement ouvragées de grandes housses semblables à des linceuls. La foule joyeuse, bavarde et légèrement ensommeillée, s'était infiltrée hors du vestibule, et les derniers groupes quittaient les marches du théâtre pour s'évanouir dans le lointain. Un préposé impatient lui donna son manteau et ferma le vestiaire. Comus sortit sous le portique ; il regarda les affiches qui annonçaient la pièce et son imagination lui montrait d'autres affiches annonçant la deux centième représentation. Deux cents représentations ; à ce moment-là, le *Strow Exchange Theater* serait pour lui quelque chose d'à peu près aussi lointain et aussi irréel que s'il n'existait pas, ou s'il n'avait jamais existé que dans son esprit. Et, pour la foule joyeuse et bavarde qui passerait sous ce portique en allant assister à la deux centième représentation, il serait, même pour ceux qui l'avaient connu, quelque chose d'aussi lointain et inexistant. Le beau petit Bassington ? Oh ! il est mort, ou il cultive le caoutchouc, ou il élève des moutons, ou quelque chose du même genre.

CHAPITRE XIV

Le dîner d'adieu que Francesca avait hâtivement organisé en l'honneur du départ de son fils menaçait depuis le commencement de se révéler une cérémonie douteusement réussie. En premier lieu, comme il le remarquait en son for intérieur, ce dîner contenait très peu de Comus et beaucoup d'adieu. Ses amis personnels n'étaient pas représentés. Courtenay Youghal était hors de question et, bien que Francesca eût consenti par exception à accueillir quelques-uns de ses autres camarades qu'elle n'appréciait guère, Comus s'était lui-même opposé à ce que l'on invitât aucun d'entre eux. D'un autre côté, comme c'était Henry Greech qui avait procuré à Comus l'emploi qu'il allait rejoindre et qu'il s'occupait de trouver une partie de l'argent pour l'équipement nécessaire, Francesca s'était sentie obligée de l'inviter à dîner ainsi que sa femme ; la stupidité qui semble adhérer à certaines personnes comme un vêtement avait incité Mr. Greech à accepter l'invitation. Lorsque Comus apprit ce détail, il rit longuement et bruyamment. Sa gaieté, remarqua Francesca, semblait revenir rapidement à mesure que le départ approchait.

Au nombre des autres invités, figuraient Serena Golackly et lady Veula, cette dernière ayant été invitée suivant l'inspiration du moment à la première représentation au théâtre. La saison battait son plein et il n'était pas facile de réunir à brûle-pourpoint une heureuse sélection d'invités ; aussi Francesca avait-elle accepté avec empressement quand Serena lui avait proposé d'amener avec elle Stephen Thorle qui passait, selon le jargon imprécis des femmes, pour « tout savoir sur l'Afrique ». Ses voyages et expériences dans les contrées lointaines s'étaient probablement déroulés dans un cadre plutôt restreint et leur durée n'avait jamais dû excéder un temps limité, mais c'était un de ces individus qui peuvent décrire un continent après avoir passé quelques jours dans une ville côtière, aussi minutieusement et aussi dogmatiquement qu'un paléontologue reconstruira un mammifère disparu sans avoir d'autre indication qu'un vague tibia. Il avait la voix forte et perçante, les yeux saillants et perçants d'un homme qui ne peut jamais écouter comme tout le monde et qui délègue à ses yeux la mission d'écouter. Sa vanité ne le rendait pas forcément insupportable, sauf si on devait rester longtemps en sa compagnie ; et, s'il avait besoin d'un grand auditoire et d'une grande admiration, c'était une conséquence de sa bonté d'âme qui le poussait à étendre généreusement ses opérations sur une vaste collectivité humaine. De plus, cette soif d'auditeurs attentifs le forçait à s'occuper d'une quantité de sujets extraordinairement variés, sur lesquels il était capable de parler couramment en public en donnant même l'impression de connaître particulièrement la question. Il évitait les sujets politiques ; le terrain était trop connu, et il existait toujours un « non » précis qu'on pourrait opposer au « oui » qu'il avancerait. De plus, la discussion n'était pas dans sa nature, qui préférait un flot ininterrompu de dissertations, modifié à l'occasion par des questions secourables, qui lui serviraient de tremplin d'où rejailliraient de nouveaux flots d'éloquence.

L'idée de le convier à ce dîner en particulier n'était pas une heureuse inspiration. Il avait tendance à prendre un ton protecteur avec Comus, tout comme avec le continent africain, bien qu'il le connût encore plus superficiellement. A l'exception d'Henry Greech dont les sentiments à l'égard de son neveu avaient tourné à l'aigre après de nombreuses années d'hostilité ouverte, l'assistance éprouvait le désagréable sentiment que la question du commerce d'exportation des brebis galeuses, comme aurait dit Comus, occupait une place excessive dans ce qui aurait dû être un joyeux banquet d'adieu. Et Comus, qui était le héros de la fête, ne contribuait guère à son succès ; bien qu'il parût avoir un excellent moral, sa gaieté semblait plutôt émaner d'un spectateur cynique et amusé que faire écho à la gaieté de ses compagnons. Parfois, il riait sous cape à quelque réflexion fortuite d'une drôlerie problématique, et lady Veula qui le surveillait de près se rendit finalement compte qu'un élément de crainte se mêlait à son humeur apparemment détachée. Une ou deux fois, leurs regards se croisèrent au-dessus de la table, et ils se sentirent rapprochés par une sorte de sympathie réciproque, comme s'ils contemplaient tous deux sans illusion quelque lugubre comédie qui se déroulait devant eux.

Le début du repas avait été marqué par un léger incident désagréable. Le cordon qui maintenait une petite nature morte suspendue au-dessus du buffet s'était rompu et elle avait glissé, au milieu d'un bruit alarmant, jusqu'à la surface encombrée du buffet qui était au-dessous d'elle. Le tableau lui-même n'avait guère souffert, mais sa chute avait été accompagnée d'un tintement de verre cassé, et on découvrit qu'un verre à liqueur qui faisait partie d'une série de sept qu'on ne pourrait certainement pas réassortir avait volé en éclats. L'amour quasi maternel que Francesca portait aux objets qui lui appartenaient lui fit éprouver un sentiment de déception particulièrement intense lorsque l'accident eut lieu, mais elle se retourna poliment pour écouter Mrs. Greech qui exposait une mésaventure dans laquelle quatre assiettes à soupe étaient impliquées. La femme d'Henry ne se signalait pas spécialement par le brio de sa conversation, et elle fut rapidement prise de flanc par Stephen Thorle qui raconta une histoire de taudis où deux familles entières mangeaient leur pâture dans une assiette à soupe endommagée.

— La reconnaissance de ces pauvres êtres quand je leur ai fait cadeau d'un service de vaisselle pour chacun, leurs yeux pleins de larmes et leurs voix lorsqu'ils m'ont remercié, c'est vraiment impossible à décrire.

— Merci tout de même pour la description, dit Comus.

Les yeux doués de facultés auditives firent rapidement le tour de la table pour juger de l'accueil fait à cette remarque plutôt déconcertante, mais la voix de Thorle continua sans la moindre interruption à célébrer avec loquacité la reconnaissance dans l'East End, tout en détaillant à chaque occasion les actes de charité désintéressée dont il était l'auteur, actes qui avaient suscité et justifié la reconnaissance en question. Mrs. Greech dut garder pour elle la suite passionnante de son histoire de vaisselle cassée, à savoir comment elle avait trouvé par la suite des assiettes assorties chez Harrod. Comme certaines espèces de plantes importées qui fleurissent parfois à l'excès et qui s'adaptent au point d'éclipser les espèces locales qui paraissent rabougries, Thorle dominait la soirée et rejetait la vraie raison d'être de la réception dans l'ombre. Le regard de Serena prit une expression d'excuse désespérée. Tout le monde se sentit un peu soulagé quand on remplit les coupes de champagne et que Francesca put ainsi remettre la conversation sur son vrai terrain.

— Nous allons tous boire un toast, dit-elle. Comus, mon cher enfant, nous te souhaitons un bon voyage sans encombre, beaucoup de prospérité dans la vie qui t'attend et, en temps voulu, un bon retour sans encombre.

Sa main eut une secousse involontaire lorsqu'elle leva sa coupe et le vin alla ruisseler sur la nappe, dans une mousse de bulles jaunes. De toute évidence, le dîner ne se révélait ni joyeux ni de bon augure.

— Ma chère mère, cria Comus, vous avez dû boire des toasts tout l'après-midi pour avoir la main aussi mal assurée.

Il rit gaiement, avec une insouciance apparente, mais lady Veula surprit à nouveau une trace d'effroi dans sa gaieté. Mrs. Henry Greech, avec une sympathie agissante, expliquait à Francesca deux méthodes efficaces pour enlever les taches de vin sur les nappes. Les menues économies de la vie quotidienne n'étaient pour Mrs. Greech qu'une branche inutile de la science, mais elle les étudiait avec le soin et la conscience qu'un petit Anglais casanier et confortablement logé apporte à retenir les dimensions et l'altitude des principaux pics du monde. Il existe des femmes qui, avec le tempérament et la mentalité de Mrs. Greech, savent par cœur les couleurs, les fleurs et les hymnes préférés de tous les membres de la famille royale ; Mrs. Greech aurait peut-être échoué à un examen de cette nature, mais elle savait comment utiliser des carottes qui sont restées trop longtemps en magasin.

Francesca arrêta là ses tentatives de discours ; on avait l'impression qu'un froid était tombé, paralysant tout effort pour donner à la réunion un caractère de fête, et elle se contenta de remplir sa coupe pour boire simplement à la santé de son fils. Les autres imitèrent son exemple et Comus vida son verre avec un bref : « Merci beaucoup à tous. » La sensation de gêne qui pesait sur l'assistance ne se signala pourtant par aucun intervalle pénible dans la conversation. Henry Greech était un penseur disert, de l'espèce qui préfère penser tout haut ; le silence qui descendait sur lui comme un manteau à la Chambre des Communes était une livrée officielle dont il se dépouillait aussi intégralement que possible dans la vie privée. Il n'avait pas l'intention de rester tranquillement sur sa chaise pendant tout le dîner en se contentant d'écouter les exposés personnels de Mr. Thorle sur les mouvements et les expériences philanthropiques ; il profita donc de la première occasion pour se lancer dans un flot d'observations satiriques sur les affaires courantes de la politique.

Pendant que l'assistance féminine se levait de table, Comus traversa la pièce pour ramasser un des gants de lady Veula qui était tombé par terre.

— Je ne savais pas que vous aviez un chien, dit lady Veula.

— Nous n'en avons pas, dit Comus ; il n'y en a pas un seul dans la maison.

— J'aurais juré que j'avais vu un chien vous suivre à travers le hall, ce soir, dit-elle.

— Un petit chien noir, qui ressemble à un schipperke ? demanda Comus à voix basse.

— Oui, c'est cela.

— Moi aussi, je l'ai vu ce soir ; il était derrière ma chaise et il s'est sauvé juste au moment où je me suis assis. N'en parlez pas aux autres, cela effraierait ma mère.

— L'auriez-vous déjà vu avant ce soir ? demanda vivement lady Veula.

— Une fois, quand j'avais six ans. Il suivait mon père qui descendait l'escalier.

Lady Veula ne dit rien. Elle savait que Comus avait perdu son père à l'âge de six ans.

La réunion prit fin de bonne heure, car la plupart des invités avaient d'autres engagements. Ils se rappelèrent tardivement que le dîner auquel ils venaient d'assister était un dîner d'adieu et ils dirent à Comus un au revoir accompagné d'agréables plaisanteries, avec les prédictions rituelles, et en laissant prévoir un retour heureux et définitif. Henry Greech lui-même mit un instant de côté son antipathie personnelle contre le jeune homme et il fit des allusions plaisantes et cordiales à un retour qui avait peut-être, aux yeux de l'oncle, l'avantage d'un agréable éloignement. Seule lady Veula ne parla pas de l'avenir ; elle dit simplement : « Au revoir, Comus », mais ce fut elle qui mit le plus de tendresse dans sa voix et il lui répondit par un sourire de reconnaissance. Lorsque lady Veula s'abandonna sur les coussins de sa voiture, ses yeux avaient plus que jamais leur expression de lassitude habituelle.

— La vie est une vraie tragédie, dit-elle à haute voix.

Serena et Stephen Thorle s'en allèrent les derniers et Francesca resta un instant, seule en haut de l'escalier, à observer Comus ; il riait et bavardait en escortant jusqu'à la porte les invités qui s'en allaient. Le mur de glace fondait sous l'influence de la séparation qui s'approchait et jamais il ne lui avait paru plus adorablement séduisant ; jamais son rire joyeux et sa gaieté malicieuse ne lui avaient semblé plus contagieux qu'en cette soirée consacrée à son banquet d'adieu. Elle était assez contente de le voir quitter une vie d'oisiveté, de prodigalité et de tentations, mais elle commençait à se douter que, pendant un certain temps au moins, ce joyeux garçon, qui pouvait avoir tant de charme quand il était de bonne humeur, allait lui manquer. Le premier mouvement de Francesca, après le départ des invités, fut d'appeler Comus près d'elle pour le tenir une fois encore entre ses bras, et de lui répéter les vœux qu'elle formait pour sa joie et son bonheur dans le pays où il allait se rendre, et sa promesse de l'accueillir avec plaisir le jour relativement proche où il reviendrait vers le pays qu'il allait quitter. Elle voulait oublier et lui faire oublier les mois de querelles irritantes et de discussions mordantes, les mois d'éloignement et d'indifférence glacée, pour se souvenir uniquement qu'il était son cher Comus, comme autrefois, avant qu'il fût passé de l'état de polisson désobéissant à celui de problème lancinant. Mais Francesca craignit d'éclater en sanglots et elle ne voulut pas assombrir la gaieté de Comus à la veille même de son départ. Elle l'observa longuement pendant qu'il se tenait debout dans le hall pour arranger sa cravate devant un miroir; puis elle retourna tranquillement dans son salon. La réception n'avait pas été très réussie et elle se solda pour Francesca par un sentiment général de dépression.

Comus, un joyeux air d'opérette sur les lèvres et un regard misérable dans les yeux, sortit pour rendre visite aux lieux qu'il était si près d'abandonner.

CHAPITRE XV

Elaine Youghal déjeunait dans le *Speisesaal* d'un des plus coûteux hôtels de Vienne. L'aigle bicéphale figurait un peu partout pour proclamer la faveur impériale dont jouissait l'établissement. Quelques yards carrés d'étamine jaune portant l'image d'une autre aigle bicéphale flottaient tout en haut de l'immense hampe qui se trouvait au-dessus de l'édifice : c'était pour révéler aux initiés qu'un grand-duc russe se dissimulait dans quelque coin de l'établissement. Il y avait beaucoup de citoyens et de citoyennes de la grande République du monde occidental, mais leur présence, qu'on ne proclamait pas au moyen d'un symbolisme héraldique, ne pouvait se dissimuler, car ils étaient à eux-mêmes leur propre blason. Un ou deux membres libre-échangistes du Parlement britannique étaient aux prises avec un travail extrêmement utile : ils s'efforçaient de prouver que le prix de la vie à Vienne était exorbitant. Ils voltigeaient avec une discrète importance à travers un pays dont ils étaient venus découvrir la fertilité et accueillaient avec joie tous les excès imaginables dans les factures qu'on leur présentait, car c'étaient autant de clous pour le cercueil de leurs adversaires fiscaux. C'est la gloire des démocraties qu'on puisse les fourvoyer, mais jamais les entraîner. Par endroits,

150

comme des actions d'éclat dans un monde tout en grisaille, les somptueux uniformes de la caste militaire autrichienne jetaient des éclairs et des lueurs. On remarquait aussi, à intervalles raisonnables, des membres égarés de cette tribu sémitique dont l'Europe n'a pu se défaire malgré dix-neuf siècles de froideur.

Elaine, assise en compagnie de Courtenay devant une table garnie d'un déjeuner judicieusement choisi et égayée par de hauts gobelets en verre de Bohême, Elaine venait de faire trois découvertes. La première, c'était, à son grand désappointement, que, si on fréquente les hôtels les plus chers d'Europe, il faut s'attendre à constater, quel que soit le pays où l'on se trouve, qu'ils se ressemblent tous par un côté international fort déprimant. La deuxième, c'était, à son grand soulagement, qu'on n'y avait pas besoin de jouer les amoureux sentimentaux pendant sa lune de miel. La troisième, c'était, plutôt à son grand effroi, cette fois, que Courtenay Youghal ne considérait pas comme indispensable qu'Elaine lui témoignât une vive affection dans l'intimité. On avait une fois décrit Courtenay Youghal par ces mots : « Un des célibataires congénitaux qui existent dans la nature », et Elaine commençait à comprendre toute la vérité de la formule.

— Est-ce que les Allemands qui sont à votre gauche ne vont pas s'arrêter de parler un jour ? demanda-t-elle, pendant qu'un flot intarissable de banalités résonnait avec un bruit discordant sur toute la longueur du tapis intermédiaire. Ces trois femmes ont toutes parlé sans s'arrêter un instant depuis que nous sommes assis.

— Elles vont bientôt s'arrêter, ne fût-ce qu'un instant, dit Courtenay. Quand on apportera le plat que vous avez commandé, un silence de mort régnera à la table à côté. Il n'existe pas un Allemand qui puisse voir apporter un plat à quelqu'un d'autre sans être en proie à la terreur que le sien soit moins bon ou qu'on lui en donne moins pour son argent.

Ce bavardage teutonique plein d'exubérance était contrebalancé de l'autre côté de la pièce par une conversation encore plus envahissante qu'un groupe d'Américains soutenait sans la moindre défaillance ; ils étaient en train de juger la cuisine du pays qu'ils traversaient et ne lui trouvaient guère de circonstances atténuantes.

— Ce que veut Mr. Lonkins, c'est une vraie tourte aux cerises, *bien haute,* proclama une dame avec un accent de conviction dramatique et sincère.

— Oui, c'est exactement ça, approuva un monsieur qui devait être le Mr. Lonkins en question, une vraie tourte aux cerises, *bien haute.*

— Ça a été la même histoire à Paris, en rentrant chez nous, déclara une autre dame ; le petit Jérôme et les fillettes ne veulent plus manger de *crème renversée.* Je donnerais n'importe quoi pour qu'on leur serve de la vraie tourte aux cerises.

— De la vraie tourte aux cerises, *bien haute,* approuva Mr. Lonkins.

— En rentrant chez nous, on nous a servi dans l'Ohio des tourtes aux pêches qui étaient vraiment bonnes, dit Mrs. Lonkins en ouvrant le robinet de ses souvenirs qui affluèrent aussitôt en cascade.

Le sujet des tourtes semblait se prêter à une extension infinie.

— Ces gens ne pensent donc jamais à autre chose qu'à manger ? demanda Elaine, pendant que les vertus du mouton rôti passaient soudain au premier plan pour recevoir des éloges emphatiques.

Même Jérôme fut cité pour leur rendre hommage, malgré son absence et sa jeunesse.

— Au contraire, dit Courtenay, ce sont des gens qui ont beaucoup voyagé, et l'homme a fait une carrière des plus intéressantes. C'est une forme de mal du pays qui les incite à discuter et à regretter une cuisine et des aliments qu'ils n'ont jamais eu le loisir de digérer tranquillement chez eux. Le Juif Errant devait probablement se raconter d'interminables histoires où figurait un plat pour le petit déjeuner qui était si long à préparer qu'il n'avait jamais le temps de le manger.

Un serveur déposa un plat de *Wiener Nierenbraten* devant Elaine. Au même instant, un silence magique tomba sur les trois dames de la table voisine et un fugitif éclair de terreur traversa leurs yeux. Après quoi, elles éclatèrent à nouveau en bavardages tumultueux. Courtenay s'était révélé bon prophète.

Presque à l'instant où le plat faisait son apparition sur la scène, deux dames arrivèrent à une table voisine ; elles saluèrent Elaine et Courtenay avec une cordialité digne. C'étaient deux tantes d'Elaine qui se faisaient remarquer parmi un assortiment varié pour leur caractère mondain et leur amour des voyages ; elles faisaient alors, par hasard, un court séjour dans le même hôtel que le jeune couple. Elles étaient beaucoup trop correctes et beaucoup trop raisonnables pour s'imposer à leur nièce ; mais on pouvait voir à quel point les idées d'Elaine sur la sainteté de la lune de miel avaient changé par le simple fait qu'elle accueillait parfois avec une sorte de satisfaction secrète la présence des deux parentes dans l'hôtel, et qu'elle avait trouvé le temps et l'occasion de leur accorder sa compagnie de façon plus prolongée qu'elle ne l'eût jugé nécessaire ou souhaitable quelques semaines plus tôt. Elaine aimait bien la plus jeune, sans beaucoup le manifester, comme on aime une ville d'eaux sans prétention ou un restaurant qui n'essaie pas de donner aux gens une éducation musicale en plus de leur dîner. On sentait instinctivement qu'elle ne porterait jamais de diamants plus coûteux que les autres femmes qui se trouvaient dans la pièce et qu'elle ne serait jamais la première personne à sauver s'il survenait une catastrophe à bord d'un bateau ou un incendie dans un hôtel. La plus âgée des deux tantes, Mrs. Goldbrook, n'avait pas, comme sa sœur, un caractère comparable à une cure de repos ; elle passait pour manquer de tact auprès de beaucoup de gens, surtout, peut-être, parce qu'elle avait l'habitude de poser des questions sans importance avec une intense solennité. La façon dont elle demandait des nouvelles d'une légère indisposition donnait aux gens l'impression qu'elle s'intéressait plus au sort de la maladie qu'au malade, et, lorsqu'on se débarrassait d'un rhume, on avait l'impression qu'elle croyait presque qu'on allait lui donner une adresse où elle pourrait lui écrire. Cette attitude n'était probablement que le rempart défensif d'une timidité naturelle, mais ce n'était pas une femme qui invitait aux confidences.

— On demande Courtenay au téléphone, observa la plus jeune des deux femmes lorsque Youghal traversa la pièce comme un éclair ; le téléphone paraît jouer un rôle important dans la vie de ce jeune homme.

— Le téléphone a dépouillé le mariage de presque tout son venin, dit l'aînée ; c'est tellement plus discret que les communications à la plume et à l'encre qui tombent dans des mains qui ne leur sont pas destinées !

Les tantes d'Elaine pratiquaient consciencieusement les usages mondains ; elles descendaient en droite ligne d'une famille qui s'était fait remarquer par ses principes rigides pendant de nombreuses générations.

Elaine en était aux crêpes, et Courtenay ne revenait toujours pas.

— Je suis désolé de m'être absenté si longtemps, dit-il, mais j'ai arrangé quelque chose d'assez sympathique pour ce soir. Il doit y avoir un bal masqué très gai. J'ai téléphoné pour vous commander un costume, et on me l'a promis. Il vous ira merveilleuse-

ment et j'ai emporté mon habit d'Arlequin. Mme Kelnicort, qui est une bonne âme, vous chaperonnera, et
elle vous ramènera quand vous voudrez ; il est
impossible de compter sur moi quand je suis costumé ; je resterai probablement jusqu'à une heure
invraisemblable de la matinée.

Un bal masqué dans une ville étrangère ne représentait pour Elaine aucune promesse de divertissement. Le fait de déguiser soigneusement son identité
parmi des gens qui ne vous connaissaient absolument
pas lui paraissait plutôt absurde. Pour Courtenay,
évidemment, c'était différent ; il semblait avoir des
amis et des relations partout. Cependant, le projet
était si avancé qu'un refus d'aller à ce bal eût paru
peu aimable. Elaine finit sa crêpe, et elle commença
de manifester un intérêt poli pour son costume.

— Quel personnage représentez-vous ? demanda
Mme Kelnicort, le soir, pendant qu'elles enlevaient
leur manteau en se préparant à entrer dans la salle de
bal qui était déjà comble.

— Je crois que je dois être en Marjolaine de
Montfort ; j'ignore absolument qui c'est, dit Elaine.
Courtenay affirme que, s'il a voulu m'épouser, c'est
uniquement parce que je l'incarne parfaitement à ses
yeux.

— Mais vous avez eu le plus grand tort de choisir
un personnage dont vous ignoriez tout. Pour s'amuser à un bal masqué, il faut se dépouiller complètement de sa propre personnalité pour s'identifier au
personnage qu'on représente. Courtenay, pendant le
dîner, était déjà à moitié Arlequin, cela se voyait à
quelque chose qui dansait dans ses yeux. Il s'endor-
mira demain matin vers six heures, et il se réveillera
membre du Parlement britannique pendant sa lune
de miel, mais, ce soir, il est Arlequin jusqu'au bout
des ongles.

*
**

Elaine était debout dans la salle de bal, entourée d'une foule joyeuse et dense de pierrots, jockeys, bergères de Saxe, paysannes roumaines et de tous les êtres artificiels et animés qui forment les éléments d'un bal costumé. Pendant qu'Elaine restait debout pour les observer, elle se sentait de plus en plus mécontente de tout en général et d'elle-même en particulier. Elle assistait, comme disent les Français, à un des spectacles les plus gais d'une des capitales les plus gaies d'Europe, et elle sentait bien que la gaieté environnante ne la touchait pas le moins du monde. Les costumes étaient évidemment intéressants à regarder, la musique agréable à écouter, et elle y prenait plaisir, mais l'*abandon* de la scène n'éveillait pas d'écho en elle. Cela ressemblait à la contemplation d'un jeu dont on ignore les règles et dont l'issue vous est indifférente. Elaine commença à se demander quand elle pourrait arracher Mme Kelnicort aux réjouissances sans se rendre coupable d'un véritable acte de cruauté.

C'est alors que Courtenay sortit de la cohue pour venir vers elle, un Courtenay joyeux, qui paraissait plus jeune et plus élégant qu'elle ne l'avait jamais vu. Elaine avait même quelque peine à reconnaître en lui, ce soir, le jeune orateur d'avenir qui se livrait à des attaques embarrassantes contre la politique étrangère du gouvernement devant une Chambre des Communes bien garnie.

Il demanda à Elaine de lui accorder la danse qui venait de commencer et la conduisit adroitement au cœur de la foule qui valsait.

— Je n'aurais jamais cru qu'on pût trouver de nos jours une mortelle qui ressemblât autant que vous à Marjolaine, affirma-t-il. Seulement, Marjolaine souriait certainement quelquefois. On a un peu l'impression que vous vous demandez si vous avez laissé assez de thé pour le petit déjeuner des domestiques.

N'écoutez pas mes taquineries ; je vous adore quand vous avez cet air-là, d'ailleurs, c'est un repoussoir magnifique pour mon Arlequin (mon égoïsme revient au premier plan, vous voyez). Mais il est bien entendu que vous rentrerez dès que vous commencerez à vous ennuyer. Cette excellente Kelnicort a mille occasions de danser pendant tout l'hiver, donc n'ayez aucun scrupule à son sujet.

Un peu plus tard dans la soirée, Elaine se trouva à l'écart des danseurs, en compagnie d'un monsieur jeune et grave qui appartenait à l'ambassade de Russie.

— Monsieur Courtenay s'amuse, n'est-ce pas ? fit-il remarquer, lorsque le sémillant Arlequin passa devant eux comme un éclair, semblable à quelque libellule aux couleurs somptueuses. Pourquoi le bon Dieu a-t-il donné aux hommes de votre pays le don de l'éternelle jeunesse ? A quelques femmes aussi, mais à tous les hommes.

Elaine connaissait beaucoup d'hommes de son pays qui n'étaient pas jeunes et qui ne l'avaient certainement jamais été, mais, en ce qui concernait Courtenay, elle admit que la réflexion était parfaitement judicieuse. Et cet acquiescement fut aussitôt suivi d'un sentiment de dépression. Resterait-il toujours jeune, avide de plaisirs et de distractions, alors qu'elle deviendrait grave et réservée ? Elle avait exilé de sa pensée un Comus intraitable et débordant de vie, en même temps qu'il s'exilait lui-même du cœur d'Elaine par sa propre perversité, et elle avait choisi pour mari un homme politique jeune et brillant. Il lui avait honnêtement laissé voir le côté égoïste de son caractère pendant qu'il lui faisait la cour, mais Elaine était disposée à faire les sacrifices nécessaires à l'égoïsme d'un homme politique qui devait faire passer sa carrière avant tout. Faudrait-il aussi qu'elle fît des sacrifices à l'esprit d'Arlequin qui se révélait maintenant comme une tendance secrète de sa nature ? Quand on s'est résigné à une forme particulière de souffrance, on se trouve déconcerté lorsqu'il faut brusquement en affronter une autre. Il y a beaucoup d'hommes qui endureraient patiemment le martyre pour leur religion et qui n'auraient pas la moindre envie de subir le martyre de la névralgie.

— Je crois que c'est pour cela que vous aimez tant les animaux, vous autres Anglais, continua le jeune diplomate ; vous êtes vous-mêmes de si magnifiques animaux. Vous êtes pleins de vitalité, parce que cela vous plaît ainsi, et non pour le public. M. Courtenay est certainement un animal. Et c'est un grand compliment que je lui fais.

— Est-ce que je suis un animal ? demanda Elaine.

— J'allais dire que vous êtes un ange, dit le Russe un peu gêné, mais je ne crois pas que ce soit le mot qui convienne ; des anges et des animaux ne pourraient jamais s'entendre ensemble. Pour s'entendre avec les animaux, il faut avoir le sens de l'humour, et je ne pense pas que les anges aient le moindre sens de l'humour ; vous comprenez, cela ne leur servirait à rien puisqu'ils n'entendent jamais la moindre plaisanterie.

— Peut-être, dit Elaine avec un soupçon d'amertume, peut-être suis-je un légume.

— Il me semble que vous me rappelez surtout un tableau, dit le Russe.

Ce n'était pas la première fois qu'Elaine entendait cette comparaison.

— Je sais, dit-elle. *La Grande Galerie du Louvre,* attribuée à Léonard de Vinci.

Il était évident que les gens la jugeaient seulement sur les apparences.

Etait-ce ainsi que Courtenay la voyait ? Etait-ce là ce qui devait être son rôle et sa place dans la vie, une toile de fond peinte, un cadre décoratif pour les triomphes et les tragédies des autres ? En tout cas, ce soir, ses sentiments étaient comparables à ceux d'un général qui aurait amené des forces imposantes sur le terrain et qui se trouverait dans l'impossibilité de les utiliser. Elle avait la jeunesse et la beauté, une fortune considérable, et elle venait de faire un mariage que la plupart des gens qualifieraient de très satisfaisant. Et, déjà, elle éprouvait le sentiment d'être à l'écart et de jouer le rôle de spectatrice et non le rôle de premier plan qu'elle attendait.

— Est-ce que vous aimez ce genre de choses ? demanda-t-elle au jeune Russe, et elle lui désignait la joyeuse mêlée des masques en s'apprêtant à entendre une protestation amusée.

— Mais oui, évidemment, répondit-il, les bals costumés, les foules en travesti, les cafés chantants, les casinos, tout ce qui n'est pas la vie réelle attire les Russes. La vie réelle, pour nous, c'est l'affaire de Maxime Gorki. Cela nous intéresse au plus haut point, mais nous aimons nous en échapper de temps en temps.

Mme Kelnicort s'approcha en compagnie d'un autre jeune homme avec lequel elle s'apprêtait à danser, et Elaine délivra son ukase : encore une danse, et ensuite retour à l'hôtel. Elle ne ressentit guère de regret en rentrant de la fête où Courtenay continuait à s'amuser avec l'impression que la vie consistait en divertissements de ce genre, et le jeune Russe avec la ferme conviction du contraire.

Elaine prit son petit déjeuner à la table de ses tantes, le lendemain matin, à peu près à la même heure que de coutume. Courtenay dormait encore du sommeil d'un animal heureux et fatigué. Il avait donné des instructions pour qu'on l'éveillât à onze heures, moment à partir duquel la *Neue Freie Presse,* le *Zeit* et sa toilette occuperaient son attention jusqu'à ce qu'il fît son apparition à table pour le déjeuner. Il n'y avait pas beaucoup de gens qui prenaient leur petit déjeuner quand Elaine arriva sur la scène, mais la pièce semblait plus pleine qu'elle ne l'était en réalité, à cause d'une voix perçante qui exposait combien le niveau du petit déjeuner viennois était inférieur aux prévisions et aux désirs du petit Jérôme et des fillettes.

— Si jamais le petit Jérôme devient président des États-Unis, dit Elaine, je pourrai donner aux journaux un article remarquablement documenté sur ses goûts et ses dégoûts gastronomiques.

Les tantes firent montre d'une curiosité discrète au sujet du divertissement de la veille.

— Si Elaine flirtait légèrement, ce serait une heureuse inspiration : cela rappellerait à Courtenay qu'il n'est pas le seul homme jeune et attirant qui soit au monde.

Elaine ne répondit d'ailleurs pas à leurs espérances, elle fit allusion au bal avec le détachement dont elle aurait fait preuve en décrivant une exposition particulière consacrée à quelque forme d'artisanat en chambre. Il n'était pas difficile de discerner, d'après la façon dont elle décrivit la soirée, qu'Elaine s'était légèrement ennuyée. Plus tard dans la journée, Courtenay donna aux tantes une version plus animée des festivités d'où l'on pouvait déduire sans aucune difficulté que lui s'était certainement arrangé pour s'amuser. Il ne semblait pas non plus que la bonne opinion qu'il avait de ses charmes eût subi le moindre choc appréciable. Il était nettement de très bonne humeur.

— Le secret du bonheur pendant la lune de miel, dit ensuite Mrs. Goldbrook à sa sœur, c'est de ne pas être trop ambitieux.

— Tu veux dire...

— Courtenay se contente d'essayer de veiller à la joie et à l'amusement d'une personne et il y réussit parfaitement.

— Je ne crois évidemment pas qu'Elaine soit destinée à être heureuse, dit sa sœur, mais Courtenay l'a au moins empêchée de faire la plus grande faute qu'elle eût pu faire : épouser ce jeune Bassington.

— Il l'a aussi, dit Mrs. Goldbrook, aidée à faire la plus lourde faute de sa vie après celle que tu viens de citer : épouser Courtenay Youghal.

CHAPITRE XVI

C'était par une fin d'après-midi, près des rives d'un fleuve aux flots rapides et impétueux, un fleuve dont les eaux renvoyaient une brume de chaleur, comme si c'était quelque lagune stagnante et fumante, mais qui semblait pourtant s'avancer en tourbillonnant avec la décision d'un être vivant ; un fleuve toujours ardent et toujours impitoyable, bondissant sauvagement contre chaque obstacle qui essayait de ralentir son cours, un fleuve hostile aux eaux périlleuses pour l'imprudent qui osait s'y confier. Sous l'ombre brûlante et irrespirable des arbres qui le bordaient, montait cette odeur âcre et pénétrante qui semble flotter partout aux environs des tropiques, une odeur qui semble émaner de quelque monstrueux laboratoire confiné dans lequel on aurait écrasé, distillé et conservé des herbes et des épices pendant des centaines d'années et où l'on n'aurait presque jamais ouvert les fenêtres. Dans la chaleur éblouissante qui régnait encore sans partage sur le paysage, l'activité et la vitalité des oiseaux et des insectes paraissaient absurdes ; les uns faisaient voltiger leurs couleurs éclatantes dans les rayons du soleil, et les autres rampaient sur la poussière brûlée pour s'adonner à l'accomplissement de leurs divers travaux ; les mouches étaient occupées à Dieu sait quoi et les gobe-mouches s'affairaient après les mouches. Les bêtes et les hommes ne montraient pas cette indifférence à l'égard de la température ; le soleil devrait continuer sa course descendante avant que la terre devînt le théâtre de leurs activités ressuscitées. Dans le rez-de-chaussée abrité d'une auberge située au bord de la route, une bande de porteurs indigènes dormait ou jacassait avec indolence pendant les dernières heures de cette longue pause du milieu du jour. Parfaitement éveillé, bien qu'il fût accablé de fatigue au point de pouvoir à peine faire un geste, leur maître européen était assis, seul, dans une chambre située à l'étage supérieur ; il contemplait, par l'ouverture d'une étroite fenêtre, le village indigène qui s'étendait au loin en grappes serrées de huttes entourées de cultures. L'ensemble évoquait une vaste fourmilière humaine où s'agiterait bientôt une humanité grouillante, comme si le dieu Soleil avait profité de sa dernière enjambée pour l'éveiller d'un coup de pied négligent. Sous ses yeux, Comus voyait les premiers symptômes qui annonçaient le réveil du soir. Les femmes, accroupies devant leur hutte, commençaient à broyer le riz ou le maïs qui formerait le repas du soir ; les jeunes filles rassemblaient leurs cruches avant de descendre vers le fleuve et des chèvres entreprenantes tentaient des incursions à travers les palissades mal entretenues des terrains avoisinants ; leur retraite précipitée prouvait que, là du moins, quelqu'un montait une garde active et vigilante. Derrière une hutte perchée sur un flanc de coteau escarpé, juste en face de l'auberge, deux jeunes gens fendaient du bois avec un semblant d'activité languissante ; plus bas sur la route, un groupe de chiens s'excitait sans hâte avant de se disputer ; çà et là, on voyait errer des troupeaux d'affreux cochons qui s'adonnaient à des excursions dévastatrices dans la zone entretenue. Et, des arbres qui bordaient le village, montait l'horrible, l'infatigable cri rauque des corbeaux à la voix métallique.

Comus contemplait tout cela de son siège avec un sentiment de dépression douloureuse qui empirait sans cesse. Ce spectacle lui paraissait parfaitement banal, dénué du moindre intérêt, et il était pourtant bien réel, menaçant et d'une continuité affreusement implacable. On se sentait le cerveau fatigué à la simple idée qu'il se reproduisait éternellement. On avait de tout temps fait exactement ce qu'on faisait aujourd'hui : labourer, semer et moissonner, vendre au marché et entreposer, préparer des festins, adorer des fétiches, s'aimer, enterrer et accorder en mariage, mettre des enfants au monde, élever des enfants ; c'était là ce qu'on avait toujours fait à la faible clarté d'une chaleur brûlante et dans les nuits tièdes, alors que Comus faisait ses débuts à l'école et que l'Afrique n'était pour lui qu'une vague division de la surface terrestre qu'il fallait tout juste connaître de vue. On avait toujours fait la même chose, presque dans les plus petits détails, avec le même acharnement opiniâtre, du temps où son père et son grand-père n'étaient que des petits garçons qui allaient à l'école ; on ferait toujours la même chose avec le même acharnement lorsque Comus et sa génération auraient disparu depuis longtemps, pendant que les ombres s'allongeraient avant de s'évanouir sous les mûriers d'un certain jardin anglais, où une loutre de plomb dévorait éternellement un saumon de plomb.

Comus se leva de son siège avec impatience et il traversa tristement la hutte pour aller vers une autre fenêtre d'où l'on avait une vue très étendue sur le fleuve. Il y avait quelque chose de séduisant au premier abord et de déprimant ensuite dans l'élan incessant et rapide de son cours, dans ces tonnes d'eau qui se précipiteraient perpétuellement, tant que le monde serait monde. Sur la rive opposée, on voyait d'autres villages épars et grouillants, leurs lopins de terre cultivés, leurs herbages défrichés, et leurs taches mouvantes qui étaient soit du bétail, soit des chèvres, soit des chiens, soit des enfants. Et, en remontant bien loin le cours du fleuve perdu dans la végétation boisée qui bordait ses rives, il y avait encore d'autres villages enfouis, d'autres êtres humains rassemblés en troupeaux, qui habitaient, travaillaient, troquaient, se chamaillaient, adoraient leurs dieux, tombaient malades et mouraient, pendant que le fleuve s'écoulait avec son éternel tourbillon et l'élan impétueux de ses eaux étincelantes.

C'était presque un soulagement de revenir à l'autre fenêtre et de regarder la vie du village qui commençait maintenant à s'éveiller pour de bon. La procession des porteurs d'eau s'était formée en une longue file jacassante qui s'étirait vers le fleuve. Comus se demanda combien de dizaines de milliers de fois cette procession s'était formée depuis la naissance du village. Ces gens accomplissaient ces mêmes gestes pendant qu'il jouait au cricket à l'école, pendant qu'il passait les vacances de Noël à Paris, pendant qu'il allait insouciamment de théâtres en danses, en soupers, en bridges, exactement comme ils les accomplissaient maintenant ; ils les accompliraient encore lorsqu'il n'y aurait plus personne sur terre qui se rappellerait Comus Bassington.

En contemplant sans mot dire cette fourmilière humaine peinante et suante, Comus ne pouvait comprendre comment il se trouvait des missionnaires enthousiastes pour s'efforcer avec confiance de transplanter leur religion et son cortège local de bienveillance paternelle et paroissiale dans ce désert brûlé par le soleil, ravagé par la fièvre, où les hommes vivaient comme des vers de terre et mouraient comme des mouches. Il fallait bien croire aux démons, si on ne contenait pas son imagination dans des limites recommandées par l'hygiène, mais à un Dieu de bonté qui préside à toutes choses, jamais.

Comus avait un oncle qui vivait à la campagne dans l'ouest de l'Angleterre ; il habitait un presbytère enseveli sous les roses et enseignait une foi aimable et salutaire dans l'esprit de ce « Petit agneau, qui t'a fait ? », foi qui reflétait fidèlement les magnifiques sentiments d'un Enfant Jésus de l'Europe anglo-saxonne. Que cette histoire semblait donc lointaine et invraisemblable sur cette terre de l'Ouest africain, où les corps humains ne comptaient pas plus que les bulles qui flottaient sur l'écume huileuse du grand fleuve qui s'écoulait, et où il fallait se torturer inutilement l'imagination pour leur prêter des âmes immortelles ! Au cours de son existence antérieure, Comus avait été accoutumé à penser aux individus comme à des personnalités définies et maîtresses de leur destin, qui marquaient fréquemment leur empreinte sur les événements dont elles étaient le centre. Ces individus agissaient bien ou mal, dans la plupart des cas indifféremment, et on les critiquait, louait, blâmait, contrecarrait, tolérait ou on les laissait faire. Dans tous les cas, qu'ils fussent de premier ou de deuxième plan, ils avaient leurs sphères d'importance, petites ou grandes. Ils dominaient la table du petit déjeuner ou harcelaient le gouvernement suivant leurs capacités ou les occasions qui s'offraient à eux, ou peut-être se distinguaient-ils seulement par une affectation parfaitement exaspérante. En tout cas, il semblait infiniment probable qu'ils eussent des âmes. Ici, un homme n'était qu'une simple unité d'une population innombrable, une tache sans importance dans un registre de décès négligemment tenu. Même sa position personnelle de Blanc, qui le classait si évidemment au-dessus d'une horde d'indigènes, ne permettait pas à Comus d'échapper à cette sensation déprimante de néant sous laquelle son premier accès de fièvre l'avait terrassé. Il n'était qu'un corps perdu et sans âme dans un immense pays indifférent ; s'il mourait, un autre prendrait sa place, on ferait l'inventaire de ses quelques effets pour les diriger vers la côte ; quelqu'un d'autre finirait le thé ou le whisky que Comus aurait laissé : ce serait tout.

C'était presque l'heure de se diriger vers la station voisine pour y dîner, ou du moins pour y manger quelque chose. Mais, à travers la lassitude héritée de la fièvre, l'ennuyeux voyage par les interminables pistes forestières lui apparaissait comme une fatigue qu'il souhaitait différer aussi longtemps que possible. Les porteurs envisageaient sans déplaisir de laisser passer encore une demi-heure environ, et Comus tira de la poche de sa veste un roman recouvert d'un papier défraîchi. C'était une histoire qui traitait des affaires de cœur laborieusement embrouillées d'un couple remarquablement inintéressant, et, en dépit de son dénuement actuel en matière de livres, Comus n'avait pu dépasser les deux tiers de ce livre ennuyeux ; pourtant, il y avait quelques pages de réclame reliées avec la couverture, et ces pages soulignaient son exil avec une intensité féroce dont le roman lui-même se serait révélé incapable. Le nom d'un magasin, d'une rue, l'adresse d'un restaurant l'atteignaient comme un rappel amer du monde qu'il avait perdu, un monde qui mangeait, buvait, flirtait, jouait et s'amusait ; un monde qui discutait, intriguait, complotait, livrait ou compromettait des batailles politiques, et qui ne se souciait absolument pas de ses proscrits errant par les sentiers des forêts et les marécages fumants, ou gisant terrassés par la fièvre. Comus lisait et relisait ces quelques lignes de réclame pour les mêmes raisons qu'il conservait un programme froissé de la première représentation au *Strow Exchange Theater ;* ils contribuaient à rendre concret un passé qui paraissait déjà bien obscur et bien lointain. Pendant un instant, il arriva presque à se croire revenu dans les lieux qu'il adorait, puis il regarda autour de lui et il repoussa le livre avec lassitude. La chaleur fumante, la forêt, le fleuve aux flots impétueux le cernaient de toutes parts.

Les deux garçons qui fendaient du bois cessèrent leur travail et se redressèrent ; soudain, le plus petit des deux donna à l'autre une claque retentissante avec une latte de bois qu'il tenait encore dans sa main et il s'enfuit sur la colline en feignant la terreur ; le plus grand s'élança rapidement à sa poursuite. Ils montèrent et descendirent la pente escarpée couverte de buissons, luttèrent de vitesse, s'enlacèrent, s'esquivèrent, en vinrent quelquefois aux mains dans un ouragan de cris aigus et de claques, roulèrent l'un sur l'autre comme des petits chats qui se battent et s'échappèrent une fois encore pour de nouvelles provocations et de nouvelles poursuites. De temps en temps, ils restaient un moment étendus, haletants comme s'ils avaient atteint le dernier degré de l'épuisement, puis ils s'enfuyaient à nouveau précipitamment et leurs corps sombres volaient à travers les buissons, disparaissaient et réapparaissaient avec une égale rapidité. Bientôt, les deux jeunes filles de leur âge s'élancèrent sur eux de quelque embuscade et ils se livrèrent à de joyeux ébats ; le flanc de la colline fut aussitôt égayé par des échos perçants et par la lueur de membres qui s'enfuyaient rapidement. Comus contemplait tout cela de son siège, d'abord avec un intérêt amusé, puis il se sentit à nouveau envahi par la dépression et le chagrin. Ces jeunes chats humains représentaient la joie de la vie, et il était hors du jeu : comme un étranger solitaire, il contemplait un spectacle auquel il ne pouvait participer, un bonheur pour lequel il n'était pas fait et qui ne lui était pas destiné. Il traverserait bientôt le village et les pieds de ses porteurs traceraient une sorte de dentelle dans la poussière, ce serait le souvenir le plus durable qu'il laisserait dans cette oasis de vie grouillante. Et cette autre vie dans laquelle il évoluait avec l'impression présomptueuse qu'elle ne saurait exister sans lui, comme il en était bien sorti ! Dans toutes ces foules joyeuses, bridges courses, réceptions à la campagne, il n'était plus qu'un simple nom oublié ou non ; Comus Bassington, le jeune homme qui était parti. Il avait toujours été très épris de sa propre personne, et il ne s'était guère demandé s'il y avait une seule autre personne qui l'aimât vraiment, et il comprenait maintenant ce qu'il avait fait de sa vie. Et, en même temps, il savait que, s'il pouvait de nouveau courir sa chance, il la gaspillerait sans hésiter davantage, avec la même perversité. Le destin jouait contre lui, avec des dés pipés ; il perdrait toujours.

Il n'y avait qu'une personne au monde qui eût jamais tenu à lui avant même qu'il en eût conscience, qui avait tenu à lui plus qu'il ne l'avait su, qui tenait peut-être encore à lui maintenant. Mais un mur de glace s'était élevé entre elle et lui, et ce mur était traversé par un vent froid qui glace ou tue l'affection.

Les paroles d'une vieille chanson connue, le cri de regret d'une cause perdue résonnaient avec une ironie persistante dans son esprit.

> *On ne peut pas vous aimer mieux,*
> *Est-ce que vous ne reviendrez jamais ?*

Si c'était l'affection qui devait le ramener, il resterait sûrement un exilé toute sa vie. Les gens qui ne l'auraient pas oublié formuleraient ainsi son épitaphe : Comus Bassington, le jeune homme qui n'est jamais revenu.

Et, dans son inexprimable solitude, il laissa tomber sa tête sur ses bras, pour ne pas voir les luttes et les gambades joyeuses qui se déroulaient sur le flanc de la colline.

CHAPITRE XVII

La froideur glaciale d'un jour gris de décembre régnait sur le parc Saint-James, sur ce sanctuaire de pelouses, d'arbres et d'étangs où le novateur bourgeois se précipite ambitieusement de temps à autre, pour découvrir qu'il lui faut enlever ses souliers vernis, car le sol qu'il foule est un sol sacré.

Au début de l'après-midi, dans le parc solitaire, alors que les travailleurs étaient retournés à leur travail et que les flâneurs étaient encore rares, Francesca parcourait sans trêve les allées couvertes de gravier qui bordaient la pièce d'eau. Le malheur qui régnait en maître dans le cœur de Francesca en annihilant chez elle toute faculté de penser trouvait un écho plein de sympathie dans le cadre qui l'entourait. Il y a dans les vieux parcs et les jardins quelque chose de douloureux que les rues fréquentées n'ont pas le loisir de garder : il faut bien que les morts enterrent leurs morts à Whitehall et place de la Concorde, mais il y a des coins plus tranquilles où ils peuvent continuer à rencontrer les vivants pour imposer le souvenir de leurs personnalités passées à des générations qui les ont presque oubliées. Même dans Versailles envahi par les touristes, la désolation d'une tragédie qui ne peut mourir hante les terrasses et les fontaines comme une tache de sang qui ne s'effacera jamais ; dans le jardin saxon, à Varsovie, couve le souvenir de choses mortes depuis longtemps, aussi vieilles que les arbres majestueux qui bordent ses promenades et que la carpe qui nage aujourd'hui dans son étang (comme elle y nageait certainement déjà quand *Lieber Augustin*[1] était un être vivant et non encore un immortel couplet). Et Saint-James Park, ses pelouses, ses allées et ses oiseaux aquatiques recèlent encore les souvenirs d'une classe d'hommes et de femmes qui a disparu, dont le bonheur ou la tristesse font partie intégrante de son histoire, et qui sont maintenant aussi sombres et gris qu'ils étaient autrefois gais et étincelants, comme le dessin fané qui forme la trame d'une vieille tapisserie. C'était là que Francesca s'était dirigée quand l'inaction intolérable de l'attente l'avait entraînée hors de chez elle. Francesca attendait maintenant la plus mauvaise de toutes les nouvelles, la nouvelle qui ne tuerait pas l'espoir, parce qu'il n'y en avait plus à tuer mais qui mettrait fin à toute incertitude. Elle avait reçu un message matinal disant que Comus était malade, message qui pouvait signifier beaucoup ou peu, puis un câblogramme qui n'avait qu'un seul sens possible ; dans quelques heures, Francesca recevrait un message final dont celui-ci n'était que le signe avant-coureur. Elle savait déjà tout ce que lui dirait le message attendu ; Francesca savait qu'elle ne reverrait jamais Comus, et elle savait maintenant qu'elle l'adorait au-delà de tout ce que le monde pouvait lui réserver. Ce n'était pas l'effet d'un brusque élan de pitié ou de remords qui obscurcissait son jugement ou qui embellissait le souvenir de Comus dans l'esprit de Francesca ; elle le voyait tel qu'il était : un beau jeune homme fantasque et joyeux, avec sa méchanceté, son égoïsme exaspérant,

1. Vieille chanson allemande dont il est déjà question dans *Le Baron de Munchhausen* au XVIIe siècle.

ses folies et sa perversité incorrigibles, sa cruauté qui n'épargnait personne, pas même lui ; et, tel qu'il était, tel qu'il avait toujours été, elle savait que Comus était précisément ce qu'elle devait adorer, puisque les Parques en avaient décidé ainsi. Elle ne s'arrêta pas à s'accuser ou à s'excuser de l'avoir envoyé vers ce qui devait être sa mort. Il n'était évidemment que juste et raisonnable de l'obliger à partir là-bas, comme des centaines d'autres hommes étaient partis avant lui pour faire leur chemin ; ce qu'il y avait de terrible, c'était qu'il ne devait jamais revenir. Cette nature désespérante et cruelle qui l'avait toujours caractérisé et qui avait toujours empêché Francesca d'être heureuse et fière de la bonne humeur et des manières parfois charmantes de Comus, cette nature désespérante avait porté à Francesca un dernier coup qui la terrassait ; il était en train de mourir dans quelque coin éloigné, à des milliers de miles, sans espoir de guérison, sans une parole affectueuse pour le réconforter ; et, sans espoir, sans l'ombre d'une consolation, elle attendait d'apprendre la fin. La fin : cette terrible nouvelle qui tracerait les mots « Plus jamais » sur la vie de Comus et sur la sienne.

Le mouvement des rues pleines d'agitation avait été pour elle une torture insupportable. Il n'y avait plus que deux jours avant Noël, et la gaieté de la saison, forcée ou sincère, retentissait partout. Les courses de Noël, dictées par une sollicitude anxieuse ou par une concentration égoïste, envahissaient tout le West End et empêchaient presque la circulation à certains endroits spécialement appréciés. Des parents pleins d'orgueil, chargés de paquets et escortés de leurs enfants, échangeaient leurs impressions sur la mine et les qualités de leur progéniture et se faisaient des confidences bruyantes et rapides sur les difficultés ou la chance avec laquelle ils avaient trouvé les cadeaux qu'il fallait pour tout le monde.

On échangeait bruyamment des conseils pour trouver ce qui se faisait de mieux dans tel ou tel article, conseils qui se mêlaient à des salves de vœux de Noël. Pour Francesca qui se traçait frénétiquement un passage à travers ce carnaval de bonheur, en ne voyant qu'un lit de mort solitaire, ce spectacle lui semblait railler grossièrement son chagrin ; est-ce que les gens ne pouvaient pas se rappeler qu'il y avait des crucifiements sur terre, autant que de joyeux anniversaires ? Chaque mère qu'elle dépassait, tout à la joie d'accompagner son fils, un collégien élégant et bien bâti, lui portait un nouveau coup de poignard au cœur, et les magasins eux-mêmes avaient leurs souvenirs cruels. Il y avait le salon de thé où ils avaient souvent pris le thé ensemble tous les deux, et où, dans leurs jours de froideur, ils s'étaient assis, chacun à sa table, chacun avec ses amis. Il y avait d'autres magasins où des factures dont l'existence était due à la prodigalité de Comus avaient donné lieu à ces désagréables scènes de récrimination qui se répétaient si souvent, et les magasins d'équipements coloniaux où, selon la formule qu'il avait employée, avec son étrange ironie habituelle, il avait acheté son linceul pour enterré vivant. L' « oubliette » ! elle se rappelait le nom insolent et amer par lequel il avait désigné l'exil qu'on lui destinait.

Cette fois-là, du moins, il s'était montré plus dur envers lui-même qu'il n'avait plu aux Parques de l'exiger ; jamais, tant que Francesca vivrait, tant qu'elle serait capable de concevoir une idée, jamais elle ne pourrait l'oublier. Le narcotique lui serait toujours refusé. Un souvenir implacable et impitoyable, qui ne la quitterait pas, lui rappellerait toujours ces derniers jours de tragédie. Déjà, son esprit s'attardait longuement sur les détails du funèbre dîner d'adieu, et elle récapitulait un par un les incidents de mauvais augure qui l'avaient jalonné : d'abord, ils s'étaient assis sept à table et un verre à liqueur d'une série de sept avait volé en éclats, puis son verre s'était échappé de sa main lorsqu'elle l'avait porté à ses lèvres pour souhaiter à Comus un retour sans encombre, et enfin le calme étrange et désespéré avec lequel lady Veula avait dit « au revoir » à Comus. Francesca se rappelait le frisson d'effroi qu'elle avait éprouvé sur le moment.

Le parc se remplissait à nouveau de sa population mouvante de promeneurs, et Francesca prit le chemin du retour. Elle avait l'impression que le message attendu était arrivé chez elle et qu'il était posé sur la table de l'entrée ; son frère qui avait annoncé son intention de venir la voir au début de l'après-midi devait être parti maintenant ; il ignorait tout des mauvaises nouvelles du matin, car l'instinct qui pousse un animal blessé à se traîner dans quelque coin solitaire avait incité Francesca à lui cacher son chagrin aussi longtemps que possible. La visite de son frère ne rendait pas la présence de Francesca indispensable : il amenait un ami autrichien qui rédigeait un ouvrage sur l'école de peinture franco-flamande pour lui faire examiner le Van der Meulen ; Henry Greech espérait même qu'une reproduction du tableau paraîtrait dans le livre. Ils devaient arriver tout de suite après le déjeuner, et Francesca avait laissé un mot d'excuse, arguant d'un engagement urgent ailleurs. Au moment où elle tournait pour traverser le Mall et entrer dans Green Park, une voix douce la héla d'une voiture qui s'arrêtait le long du trottoir. Lady Caroline Benaresq venait de gratifier le monument dédié à la mémoire de la reine Victoria d'un long regard hostile.

— A l'époque primitive, observa-t-elle, je crois que c'était la mode pour les grands chefs et les souverains de se faire tuer et enterrer en compagnie de nombreux parents et vassaux ; en ces temps plus éclairés, nous avons inventé un système tout différent pour faire regretter une grande reine dans l'univers

174

entier. Ma chère Francesca, dit-elle en s'interrompant brusquement, car elle venait de remarquer le regard misérable de son interlocutrice, que se passe-t-il ? Avez-vous reçu une mauvaise nouvelle de là-bas ?

— J'attends une très mauvaise nouvelle, dit Francesca.

Et lady Caroline comprit ce qui était arrivé.

— Je voudrais pouvoir dire quelque chose, mais je ne peux pas.

Lady Caroline parlait sur un ton rauque et plaintif que peu de gens avaient jamais eu l'occasion de lui entendre. Francesca traversa le Mall et la voiture continua son chemin.

— Que le ciel vienne en aide à cette pauvre femme, dit lady Caroline, phrase qui, dans sa bouche, ressemblait étonnamment à une prière.

Lorsque Francesca pénétra dans l'entrée, elle jeta un regard rapide sur la table : il y avait plusieurs paquets qui contenaient évidemment une première tournée de cadeaux de Noël et deux ou trois lettres. Tout seul, sur un plateau, le câblogramme qu'elle attendait était là. Une femme de chambre qui avait visiblement guetté l'arrivée de Francesca apporta le plateau. Les domestiques étaient au courant du terrible événement qui se déroulait et il y avait quelque chose de compatissant dans l'expression de la jeune fille et dans sa voix.

— On a apporté ça pour vous, il y a dix minutes, m'dame, et Mr. Greech est venu, m'dame, avec un autre monsieur, et il a beaucoup regretté que vous soyez sortie. Mr. Greech a dit qu'il reviendrait dans à peu près une demi-heure.

Francesca emporta le câblogramme toujours fermé dans le salon et elle s'assit un moment pour réfléchir. Elle n'éprouvait même pas le besoin de l'ouvrir, car elle savait ce qu'il contenait. Pour quelques pitoyables instants, Comus lui paraîtrait moins désespérément perdu si elle différait la lecture de ce terrible et dernier message. Elle se leva, alla jusqu'aux fenêtres et baissa les stores pour interdire tout accès à cette fin de journée de décembre, puis elle se rassit. Dans cette demi-lumière irréelle, son fils viendrait peut-être s'asseoir encore un moment près d'elle pour qu'elle pût contempler encore une fois son visage adoré ; elle ne pourrait plus jamais le toucher ni entendre sa voix insolente et joyeuse, mais il lui resterait toujours la possibilité de contempler ses morts. Et ses yeux avides ne voyaient que des objets de bronze, d'argent, de porcelaine, odieux et sans âme, qu'elle avait traités et adorés comme des dieux ; où que Francesca portât son regard, ces objets la cernaient, comme de froides déités qui régnaient sur une maison où il n'y avait plus de place pour son enfant mort. Il était entré parmi eux et il en était sorti, cet être plein de chaleur et de vie, et elle avait détourné les yeux de cette jeune silhouette élégante pour adorer quelques pieds de toile peinte, relique moisie de quelque artiste trépassé depuis longtemps. Et, maintenant, elle ne pourrait plus jamais le voir, le toucher, l'entendre ; il ne lui avait même pas laissé une pensée qui aurait pu faire jaillir entre eux une étincelle pour éclairer les terribles années qu'il lui faudrait vivre, mais ces objets de toile, de couleurs et de métal travaillé, allaient rester avec elle. Ils étaient son âme. Et quel intérêt y a-t-il pour un homme à sauver son âme si son cœur doit périr, broyé par la souffrance ?

Le portrait de Francesca par Mervyn Quentock, posé sur une petite table qui se trouvait à côté d'elle, était le symbole prophétique de sa tragédie. C'était bien cette riche et sinistre moisson de choses irréelles qui n'avaient jamais connu la vie, et cette oppression glaciale d'un hiver sans fin, d'un hiver où les choses mouraient pour ne jamais renaître à la vie.

Francesca se tourna vers la petite enveloppe qui se

trouvait sur ses genoux. Très lentement, elle l'ouvrit et lut le bref message. Puis elle resta sans bouger, silencieuse et comme paralysée, pendant très, très longtemps, ou peut-être seulement pendant quelques minutes. La voix d'Henry Greech qui était dans l'entrée et qui la demandait la rappela à elle-même. Francesca froissa le morceau de papier avant de le dissimuler ; il faudrait bien le lui dire, évidemment, mais, en ce moment, elle sentait que sa douleur était trop horrible pour être mise à nu. « Comus est mort » : c'était là une phrase qu'elle se sentait incapable de prononcer.

— J'ai une mauvaise nouvelle à t'annoncer, Francesca, j'en suis désolé, dit Henry Greech.

Est-ce qu'il savait aussi ?

— Henneberg est venu ici et il a regardé le tableau, continua-t-il en s'asseyant à côté de sa sœur, et, bien qu'il l'ait beaucoup admiré en tant qu'œuvre d'art, il m'a causé une désagréable surprise en m'affirmant que ce n'était pas un Van der Meulen authentique. C'est une admirable copie, mais, hélas ! ce n'est qu'une copie.

Henry s'arrêta pour jeter un coup d'œil sur sa sœur ; il voulait voir comment elle avait pris cette révélation désagréable. Malgré la lumière, il aperçut dans le regard de Francesca un peu de l'angoisse qu'elle ressentait.

— Ma chère Francesca, dit-il pour la calmer en posant affectueusement la main sur le bras de sa sœur, je sais que tu dois éprouver une grande déception, tu as toujours fait le plus grand cas de ce tableau, mais il ne faut pas prendre cela trop à cœur. Ce sont là de ces découvertes désagréables qui frappent parfois les amateurs et les propriétaires de tableaux. En somme, on croit qu'environ vingt pour cent des prétendus vieux maîtres du Louvre ne sont pas l'œuvre de l'auteur qu'on leur attribue. Et il y a des masses de cas similaires en Angleterre. Lady

Dovecourt me disait justement l'autre jour qu'on n'ose même pas faire venir un expert à Columbey pour examiner les Van Dyck, car on craint des révélations désagréables. Et, d'ailleurs, ton tableau est une si bonne copie que cela ne signifie absolument pas qu'il soit dépourvu de valeur. Il faut que tu surmontes ta déception pour considérer la question avec philosophie...

Francesca ne pouvait ni faire un geste, ni articuler un mot ; elle serrait le morceau de papier froissé dans sa main et se demandait si cette voix grêle et optimiste qui débitait des consolations d'une ironie macabre consentirait jamais à se taire.

REGINALD AU CARLTON
ET AUTRES
NOUVELLES INÉDITES

REGINALD ET LES CADEAUX DE NOËL

Je veux que l'on comprenne bien, dit Reginald, qu'à aucun prix je ne désire, en guise de cadeau de Noël, me voir offrir un missel « George, prince de Galles ». On ne saurait trop le répéter.

On devrait, ajouta-t-il, organiser des cours techniques de bons usages concernant l'offre de cadeaux. Personne ne semble avoir la moindre idée de ce que désirent les autres. Quant aux idées en cours, elles ne font guère honneur à une société civilisée.

Il y a par exemple la parente de province qui « sait qu'une cravate est toujours utile », et elle vous expédie une de ces horreurs à pois qu'on ne saurait porter qu'en secret ou dans les parages de Tottenham Court Road. Certes cette cravate aurait pu se révéler utile, pour attacher les branches d'un groseillier : cela les aurait soutenues tout en effrayant les oiseaux. Car il est reconnu que la mésange bleue ordinaire a le goût plus sûr que la parente de province moyenne.

Et puis il y a les tantes, espèce délicate en ce qui concerne les cadeaux. Le problème, c'est qu'on ne les attrape jamais assez jeunes. D'ici que leur éducation soit achevée, et qu'elles sachent que dans les quartiers du West End on ne porte pas de moufles rouges en laine, elles trépassent, ou bien elles se brouillent avec la famille, ou quelque sottise de ce genre. Ce qui explique pourquoi l'approvisionnement en tantes convenablement dressées est toujours si précaire.

Prenons l'exemple de ma tante Agatha. A Noël, elle m'a envoyé une paire de gants. Elle a poussé le scrupule jusqu'à choisir quelque chose de portable, avec même le nombre convenable de boutons. Seulement, elle a pris du *neuf* comme pointure. Je les ai envoyés à un garçon que je déteste profondément. Naturellement, il ne les a pas mis, mais il aurait pu le faire — c'est là qu'on sent le souffle de Thanatos. Cela m'a fait presque autant de bien que si j'avais envoyé des fleurs blanches à ses funérailles. Je n'ai pas manqué d'écrire à ma tante que c'était exactement ce dont j'avais besoin pour voir mon existence éclore comme une rose. Elle a dû me trouver bien frivole : elle vient du nord, où l'on vit dans la crainte de l'enfer et du comte de Durham. (Reginald se prétend très versé dans les choses de la politique, excellente excuse pour n'en point parler.) Pour ce qui est de comprendre ces détails, les tantes avec une petite touche exotique sont infiniment préférables. Mais si l'on se trouve dans l'impossibilité de choisir sa tante, le mieux semble en fin de compte de se choisir un cadeau et de lui envoyer la facture.

Même des amis appartenant à sa propre coterie, et qui devraient par conséquent se montrer à la page, commettent des erreurs bizarres. Non, je ne collectionne pas les éditions bon marché des rubaiyat d'Omar Khayyam. Les quatre derniers exemplaires que l'on m'a offerts, je les ai donnés au garçon d'ascenseur. J'aime à l'imaginer en train de les lire, avec les notes de Edward Fitzgerald, à sa mère âgée. Les garçons d'ascenseur possèdent toujours des mères âgées, ce qui dépeint chez eux d'excellents sentiments.

Quant à moi, je ne vois pas la difficulté de choisir

des cadeaux convenables. Aucun garçon ayant su se donner une éducation convenable ne saurait négliger les vertus décoratives de ces bouteilles de liqueurs si respectueusement présentées dans les vitrines de Morel. De plus, aucun problème si l'on vous fait deux fois le même cadeau. Et il y aurait toujours le moment de délicieuse angoisse — crème de menthe ou Chartreuse, un peu ce que l'on éprouve quand au bridge votre partenaire abat ses cartes. On dira ce que l'on voudra du christianisme, mais un système religieux qui a donné la Chartreuse verte ne peut jamais vraiment mourir.

Bien sûr, il y a également les verres à liqueur, les fruits confits, les tapisseries au petit point, plein de choses utiles — sans parler du luxe —, factures réglées, ou encore un joli bijou. Je ne suis pas comme cette femme de la Bible, je n'ai rien contre les rubis. Elle dut d'ailleurs poser un problème au moment de Noël. Seule solution, un chèque en blanc. Somme toute, elle a bien fait de disparaître.

Ce qu'il y a d'agréable avec moi, dit enfin Reginald, c'est qu'il est si facile de me faire plaisir. La limite étant le missel « prince de Galles ».

(Titre original : *Reginald on Christmas presents*)

REGINALD VA AU SALON

— C'est dans un souci de légitime défense que l'on va au Salon, dit Reginald. Cela fournit un sujet en commun avec les cousins de province.

— Pour eux, il s'agit presque d'un rite, répondit l'interlocuteur. Une Mecque artistique, et quand les bons meurent, ils vont...

— A la donation Chantrey. Le mystère, c'est leurs sujets de conversation à la campagne.

— A la campagne, il existe deux sujets de conversation : les domestiques et « Peut-on tirer un profit de la volaille ? ». A mon avis, le premier est obligatoire et le second facultatif.

— Bref, conclut Reginald, le Salon est un échec.

— Pensez-vous que ce serait plus supportable sans les tableaux ?

— Les tableaux sont parfaits, dans leur genre. Et puis on peut toujours les regarder, si le spectacle nous ennuie, ou pour éviter de saluer quelqu'un.

— Et encore, cela ne marche pas toujours. On tombe sur l'inévitable dame rencontrée jadis dans le Devonshire, dans la brousse ou ailleurs, et qui vous fonce dessus en s'exclamant : « C'est drôle que l'on finisse toujours par rencontrer au Salon les personnes que l'on connaît. » Moi, je ne trouve pas ça drôle du tout.

— C'est justement ce qui vient de m'arriver, ajouta Reginald d'une voix plaintive. Une dame qui prétend m'avoir connu l'an dernier en Bretagne.

— J'espère que vous n'avez pas été trop brusque ?

— Je me suis contenté de lui dire, avec une simplicité de bon goût, que l'art de vivre consistait à éviter l'inaccessible.

— A-t-elle noté ce propos sur le dos de son catalogue ?

— Pas tout de suite. Elle a d'abord murmuré quelque chose comme « vraiment très spirituel ». Comme si on allait au Salon pour se montrer spirituel.

— Et puis avoir de l'esprit l'après-midi, cela signifie qu'on n'ira pas dîner en ville.

— Au fait, je ne sais plus si j'ai accepté de vous une invitation à dîner au Kettner's.

— Quant à moi, je me souviens avec une surprenante clarté de ne rien vous avoir proposé de tel.

— Un tel degré de certitude convient mal à la jeunesse. Considérons donc ce point comme réglé. De quoi parliez-vous donc ? Ah oui, de tableaux. Personnellement, j'aime assez la peinture. Tous ces tableaux sont tellement réels, indiscutables, c'est rafraîchissant : cela distrait des illusions de la vie.

— Il faut bien parfois sortir de soi-même.

— C'est l'inconvénient du portrait. En règle générale, nos amis les plus sévères ne demandent rien tant qu'une image soigneusement flattée, qui passera pour nous aux yeux de la postérité. La postérité, moi, j'ai horreur de cela. Elle tient toujours à avoir le dernier mot. Pour ce qui est des portraits, bien sûr, il y a des exceptions.

— Par exemple ?

— Mourir avant d'avoir eu son portrait peint par Sargent, c'est aller au paradis prématurément.

— Catastrophe que l'on peut éviter avec un peu de soin et d'impatience.

— Si vous essayez d'être désagréable, je dînerai avec vous également demain soir, annonça Reginald. Le pire, avec le Salon, ce sont les titres. Par exemple, pourquoi diable un ruisseau à truites parfaitement banal, avec au premier plan un lapin tout à fait indiscutable, doit-il s'intituler « Le Soir, Rêve de paix sans nuages », ou quelque chose du même genre ?

— Parce que d'après vous, reprit l'interlocuteur, un titre devrait économiser la description plutôt que stimuler l'imagination ?

— Bien choisi, il ferait les deux. Ainsi ma chatte, à la maison, s'appelle Derry.

— Cela ne me suggère rien. Si, peut-être, des sièges interminables, des querelles religieuses ? Mais bien sûr, je ne connais pas cette bête.

— Mon pauvre ami. C'est un nom charmant. Elle vient quand on l'appelle ainsi. Enfin, quand ça lui chante. Et puis la nuit, quand il y a des bruits suspects, comme le chat s'appelle Tom, naturellement, tout s'explique facilement : Tom and Derry.

— Vous devriez faire de la publicité. Pour ce qui est des tableaux, ne pensez-vous pas que votre système risquerait de se révéler un peu compliqué, pour des cousins de province, par exemple ?

— Toutes les réformes ont leurs victimes. Vous ne pouvez pas vous attendre à voir le veau gras partager l'enthousiasme des anges pour le retour du fils prodigue. Autre idée fixe au Salon : aucun de ses jeunes espoirs ne doit « réussir » trop vite. Vous les voyez revenir pendant des années, comme les troubles dans les Balkans ou les projets d'urbanisme. Et quand ils auront barbouillé des milliers de mètres carrés de toile, alors ils commenceront à être « reconnus ».

— Un personnage important, et qu'il ne faut contredire sous aucun prétexte, a prétendu qu'il faut avoir réussi à trente ans, ou jamais.

— Bah, dit Reginald, avoir trente ans, n'est-ce pas déjà un échec?

(Titre original : *Reginald on the Academy*)

REGINALD AU THÉÂTRE

— Somme toute, dit la duchesse d'un air las, il existe des choses qu'on ne saurait éviter. Le bien et le mal, le devoir, la conduite, tout cela présente des limites parfaitement définies.

— Oui, répondit Reginald, comme l'Empire des Tsars. Le problème, c'est que ces limites ne sont pas toujours au même endroit.

Reginald et la duchesse se méfiaient l'un de l'autre, tout en s'inspirant un certain intérêt scientifique. Reginald trouvait que la duchesse avait encore beaucoup à apprendre. Par exemple, elle n'aurait pas dû traverser le Carlton à fond de train, comme si elle avait craint de rater son dernier autobus. Une femme capable de manquer ses sorties, prétendait-il, pourra aussi bien quitter Londres avant la fin de la saison, ou mourir au mauvais moment d'une maladie parfaitement vulgaire.

La duchesse trouvait que les critères moraux de Reginald étaient tout juste le reflet des circonstances.

— Bien sûr, ajouta-t-elle d'un ton agressif, la mode est de croire à un changement perpétuel, aux mutations, enfin ce genre de choses, et aussi de prétendre que nous sommes simplement une forme améliorée de singes préhistoriques. Et naturellement, vous avez adopté cette doctrine ?

— Je la trouve un peu hâtive dans ses conclusions, et chez la plupart des personnes de ma connaissance, la mutation semble loin d'être achevée.

— Et par conséquent, vous n'avez pas de religion ?

— Oh mais, loin de là. En ce moment la mode, c'est une tournure d'esprit catholique avec une pointe de conscience agnostique, un aspect pittoresquement médiéval se mêlant ainsi à des avantages modernes.

La duchesse pinça les lèvres. Elle était de ces gens qui considéraient l'Église anglicane avec un rien de condescendance affectueuse, comme si c'était un animal familier.

— J'imagine cependant, ajouta-t-elle, que certaines choses sont sacrées même pour vous. Le patriotisme, par exemple, l'Empire et la responsabilité qui nous en incombe, le sang de la race, enfin, toutes ces choses.

Reginald resta silencieux quelques minutes, ce dont le seigneur de Rimini profita pour monopoliser les possibilités acoustiques du théâtre.

— Épouvantable, cette tragédie, fit remarquer Reginald, il y a des moments où l'on ne s'entend plus parler. Il est évident que j'accepte l'Empire et les responsabilités que cela suppose. Après tout, autant penser en termes de continents. Et puis un jour, quand la saison sera achevée et que nous en aurons le temps, il faudra m'expliquer la fraternité de sang, et tout ce qui unit un Canadien français, un paisible Hindou et, par exemple, un indigène du Yorkshire.

— Eh bien, vous savez, l'Empire sur lequel le soleil jamais, etc., suggéra la duchesse. N'oublions pas que nous appartenons tous à l'immense Empire anglo-saxon.

— Qui pour ma part me semble devenir rapidement un faubourg de Jérusalem. Faubourg très agréable, je l'admets, d'une Jérusalem qui ne l'est pas moins, mais faubourg quand même.

— S'entendre dire que l'on habite un faubourg alors que l'on répand les bienfaits de la civilisation sur le monde entier ! Mais sans doute prétendrez-vous que la philanthropie n'est qu'une illusion rassurante. Il faudra quand même bien que vous admettiez que le besoin, le malheur, la famine, où que nous les découvrions, dans la plus inaccessible contrée, sont immédiatement soulagés grâce à nos généreux efforts.

La duchesse reprit son souffle, certaine de sa victoire totale. Elle avait tenu récemment les mêmes propos dans un salon, où ils avaient reçu un accueil flatteur.

— Vous êtes-vous jamais promenée sur les quais de la Tamise par un soir d'hiver ? demanda Reginald.

— Certes non ! Mais pourquoi me demandez-vous cela ?

— Je me posais simplement la question. Il faut bien que votre philanthropie, pratiquée dans un monde où règne la concurrence, présente une colonne débit aussi bien qu'une colonne crédit. Les jeunes corbeaux réclament à manger.

— Et ils reçoivent leur pâture.

— Exactement. Ce qui suppose que quelque chose a bien servi à les nourrir.

— Oh, vous êtes exaspérant. Vous avez sans doute dû lire Nietzsche au point de perdre tout sens moral. Puis-je vous demander s'il existe des lois qui régissent votre conduite ?

— Il existe des règles fixes que l'on observe par commodité. Par exemple, il faut éviter de se montrer impertinent à l'égard d'un personnage inoffensif à barbe grise que l'on rencontre parfois dans les forêts de sapins ou les fumoirs des hôtels d'Europe. Parce que c'est généralement le roi de Suède.

190

— Mais ces contraintes doivent vous sembler tout à fait insupportables. Dans ma jeunesse, les jeunes gens étaient bien élevés et un peu naïfs.

— Aujourd'hui, ils se contentent d'être bien élevés. Il faut se spécialiser, de nos jours. Cela me rappelle que dans un livre sacré, il y a un homme à qui l'on accorde le choix de ce qu'il désire le plus. Et comme il ne choisit pas les titres, les honneurs ou les dignités, mais seulement une immense fortune, tout cela lui est donné de surcroît.

— Je me demande dans quel genre de livre sacré vous avez bien pu lire cela.

— Dans le Debrett, je crois bien.

(Titre original : *Reginald at the Theatre*)

POÈME DE REGINALD SUR LA PAIX

— Je suis en train d'écrire un poème sur la paix, annonça Reginald, interrompant la razzia qu'il effectuait dans une boîte de biscuits secs assortis, dont il ne restait plus maintenant que quelques macarons tapis dans les coins.

— Il me semble que la chose a déjà été tentée, répondit l'interlocuteur.

— Je le sais parfaitement, mais je n'en aurai peut-être plus jamais l'occasion. De plus, j'ai un stylo neuf. Et je ne prétends pas que mes vers sont d'une extraordinaire originalité. Lorsqu'on écrit sur la paix, il faut dire comme tout le monde, en mieux. Cela commence par la petite touche ornithologique habituelle :

> Comme s'envolait la colombe
> Elle entendit dans le carnage
> Cacophonie de cris de coups

— Colombe va de soi, mais cacophonie ?

— Avec cris et coups, il me fallait bien un *c*.

— S'envolait n'est pas fameux.

— Il fallait bien qu'elle fasse quelque chose. On ne pouvait pas la laisser plantée là d'un air idiot. Plus loin, je parle de l'insouciante antilope galopant dans la savane sud-africaine.

— Naturellement, vous n'ignorez pas que l'espèce a pratiquement disparu dans ces régions ?

— Qu'y faire ? elle galope si gentiment. Et je lui prête toutes sortes de désirs inattendus :

> Maman suis-je assez pacifique
> Malgré ce flot tout ce trafic

» Bien sûr vous allez me dire que ce serait bien étonnant qu'il y ait tellement de trafic sur cette savane désolée brûlée de soleil, mais il me fallait une rime en *ique*.

— Séraphique ?

Reginald réfléchit un moment.

— Oui, cela irait, mais il est longuement question des anges plus loin. Dans un poème sur la paix, il faut des anges, et j'avoue presque tout ignorer de leurs mœurs.

— Il pourrait leur arriver plein de choses inattendues, comme aux antilopes.

— Naturellement. La scène se passe ensuite à Londres, cité des Épouvantables nuits, et qui résonne de Te Deum et d'hymnes de joie :

> Mais le dormeur ouvrant les yeux
> Surpris par ce concert joyeux
> Qui glorifiait Dolly Gray
> Sourit s'appuyant sur un coude
> Puis il écouta dans les coud
> riers les hymnes à la paix

» Longfellow n'a jamais rien écrit de pareil.

— Je vous l'accorde bien volontiers.

— N'en faites rien. J'ai un excellent caractère, mais j'ai horreur que l'on soit de mon avis. Et puis j'ai un problème avec un autre oiseau, l'*aasvogel*.

Reginald contemplait la boîte de biscuits d'un air

inconsolable. Elle offrait en effet un triste spectacle,
avec ces deux ou trois craquelins abandonnés.

— Si je trouvais, murmura-t-il, une femme avec
une passion inassouvie pour les craquelins, je crois
que je l'épouserais tout de suite.

— Et la tragédie de l'*aasvogel,* c'est quoi ?
demanda l'interlocuteur avec compassion.

— Impossible de trouver une rime. Je n'ai songé
qu'à cela en m'habillant — ç'a été tout à fait
épouvantable —, et même pendant le déjeuner, et
j'en suis toujours au même point. J'ai l'impression
d'être un de ces malheureux automobilistes qui
atteignent à la « motoriété » bien malgré eux en
tombant en panne au beau milieu d'un carrefour
encombré. Je crains bien de devoir me débarrasser
de cet *aasvogel.* Dommage, il apportait une couleur
locale si jolie.

— Il vous restera l'antilope insouciante.

— Et cette exhortation, donc, si vous parvenez à
en décrypter le sens :

> Qu'enfin la folie de la guerre
> S'apaise et que tes légions
> Désormais songent à leurs actions

» Des actions — dans les mines. Il y a ensuite un
passage sur les bienfaits de la paix. Voulez-vous que
je vous le lise ?

— Si je dois choisir, j'aimerais autant qu'ils continuent cette guerre.

(Titre original : *Reginald's Peace Poem*)

REGINALD ET LES SOUCIS

J'ai, dit Reginald, une tante qui se fait des soucis. Enfin, ce n'est pas vraiment une tante, c'est une tante amateur, en quelque sorte, et ses soucis n'en sont pas vraiment. Elle connaît une indiscutable réussite mondaine, elle n'est victime d'aucune tragédie domestique digne d'être mentionnée, aussi adopte-t-elle les soucis à la mode, dont je me trouve faire partie. Elle apparaît ainsi comme l'antithèse — j'imagine que c'est le mot — de ces femmes douces et résignées dont on sait qu'elles ont eu des malheurs, et qui depuis portent des œillères. Naturellement, cela fait qu'on les adore, mais je dois avouer qu'elles me mettent un peu mal à l'aise, car elles évoquent irrésistiblement pour moi ces canards qui, avec une allégresse un peu forcée, continuent à courir en battant des ailes après qu'on leur a coupé la tête. Les canards ne trouvent jamais le repos. En ce qui concerne ma tante, sa couleur de cheveux lui va très bien, elle possède une cuisinière qui ne cesse de se disputer avec les autres domestiques, excellente perspective, une conscience qui la laisse en paix onze mois par an : elle surgit pendant le carême, à seule fin d'embêter la famille de son mari (protestants un peu étroits qui volent moins haut que les anges, si j'ose dire). Possédant tous ces avantages naturels —

195

parmi lesquels elle place le bronze de ses cheveux, et il n'y a pas à discuter là-dessus —, elle est bien obligée d'aller chercher ses problèmes là où on les trouve, comme dans ces restaurants sans licence où il faut apporter son vin. Système qui n'est pas sans avantages : on peut s'arranger pour que les soucis arrivent pendant les temps morts, alors que les vrais tracas arrivent généralement à l'heure des repas, ou pendant que l'on s'habille, enfin, toujours à des moments solennels. J'ai connu dans le temps un canari qui depuis des années essayait régulièrement de faire éclore une nichée. On s'y était habitué, comme aux négociations à propos de la Baie Delagoa, qui feraient bien défaut aux agences de presse, si un beau jour on parvenait à un accord. Un beau jour, voilà donc notre fringillidé qui vient au bout de ses peines, au beau milieu des prières familiales. En fait, c'était plutôt vers la fin : impossible de remercier Dieu de nous donner notre pain quotidien alors même qu'on se demande ce que diable peuvent bien manger des canaris nouveau-nés.

En ce moment ce qui la tracasse, ce sont les Balkans et le traitement des Juifs en Roumanie. Quant à moi, je trouve aux Juifs toutes sortes de qualités fort estimables ; ils sont si gentils avec leurs pauvres — et avec nos riches. Sans doute qu'en Roumanie c'est plus facile de vivre au-dessus de ses moyens. Ici le problème c'est que tant de gens qui ont de l'argent à jeter par les fenêtres ne savent quelles fenêtres choisir. Ainsi, ce fonds de solidarité pour venir en aide aux victimes des catastrophes imprévues — c'est quoi, une catastrophe imprévue ? Prenons l'exemple de cette pauvre Marion Mulciber. Elle croyait qu'elle pouvait jouer au bridge, comme elle croyait pouvoir descendre une colline à bicyclette. Cela s'est terminé à l'hôpital. La voilà maintenant dans un couvent : elle a perdu tout ce qu'elle avait, et elle a donné le reste à Dieu. N'empêche qu'on ne saurait parler ici de catastrophes imprévues : elle y était prédestinée. Quand elle est née, les médecins lui en ont donné pour quinze jours. Depuis, elle essaie de leur donner tort. Les femmes ont de ces obstinations.

Enfin, il y a ce problème de l'enseignement. Personnellement, je n'en vois pas l'intérêt. Je trouve qu'on y porte un intérêt absurde. D'ailleurs, quand j'étais à l'école, personne ne prenait cela très au sérieux, encore qu'on nous le fourrât constamment sous le nez. Ce qui vaut la peine d'être appris s'apprend pratiquement tout seul, et le reste se met dans nos jambes un jour ou l'autre. La raison pour laquelle nos aînés savent si peu de choses est due au fait qu'ils doivent commencer par oublier tout ce qu'on leur a enseigné avant notre naissance. Naturellement, je crois à l'étude de la nature. Comme je le disais à Lady Beauwhistle, si vous voulez une leçon d'élégance un rien affectée, étudiez simplement le détachement très conscient d'un chat persan pénétrant dans un salon bondé. Et ensuite, allez vous entraîner devant la glace pendant une quinzaine de jours. Les Beauwhistle ne sont pas nés dans la pourpre, vous savez, mais ils s'y sont mis à tempérament — tant au comptant, et le reste quand ça vous chante. Ils ont très bon cœur — jamais ils ne manqueraient un anniversaire. Je ne sais plus ce qu'il faisait, quelque chose dans la Cité. C'est de là que vient le patriotisme. Quant à elle, bah, ses robes sont fabriquées à Paris, mais elle les porte avec un fort accent britannique. Ce qui prouve bien son civisme. Elle a dû recevoir une éducation très stricte, car elle se donne un mal de chien pour bien faire ce qu'il ne faut pas. Cela de nos jours n'a d'ailleurs plus aucune importance, comme je le lui répète. Je connais des gens irréprochables qui sont reçus partout.

(Titre original : *Reginald on Worries*)

REGINALD ET LES INVITATIONS

L'ennui, c'est qu'on ne connaît jamais l'hôte et l'hôtesse. Au bout d'un moment on connaît leurs fox-terriers et leurs chrysanthèmes, on saura le genre d'histoires que l'on peut raconter au salon, ou qu'il faudra raconter séparément aux différents invités, pour ne pas choquer l'opinion publique. Quant aux hôtes, ils resteront une sorte d'arrière-pays qu'on n'aura pas le temps d'explorer.

J'ai connu quelqu'un dans le Warwickshire. Il cultivait ses terres. A part cela, un type très convenable. Jamais on n'aurait imaginé qu'il eût une âme. Et puis, quelque temps après, il a enlevé la veuve d'un dompteur de lions et il s'est installé comme moniteur de golf quelque part dans le golfe Persique. Attitude parfaitement immorale, je l'admets, car c'était un joueur fort médiocre. Enfin, cela montre quand même une certaine imagination. Sa femme fut bien à plaindre, car lui seul pouvait venir à bout de la cuisinière, si bien que sur les invitations à dîner, elle prit l'habitude d'ajouter « D.V. » que l'on pourrait traduire par « à la grâce de Dieu ». Enfin, cela vaut mieux qu'un scandale domestique, car une femme qui quitte sa cuisinière ne retrouvera jamais sa position dans le monde.

On pourrait d'ailleurs dire la même chose des

hôtes. Généralement, ils ne connaissent que superficiellement leurs invités, et la plupart du temps, quand ils commencent à mieux vous connaître, ils y renoncent définitivement. Lorsque j'ai quitté ces gens du Dorsetshire, il soufflait comme un vent d'hiver. J'avais été invité à la chasse, domaine où je ne suis pas vraiment extraordinaire. Il faut dire que rien n'est monotone comme la perdrix. Vous manquez la première, vous les manquez toutes. Enfin, telle est mon expérience personnelle. Ensuite, comme nous étions au fumoir, ils se sont tous moqués de moi sous prétexte que j'en avais raté une à cinq mètres. On aurait dit des bœufs en train de taquiner un taon, si l'on voit ce que je veux dire. Le lendemain, je me suis levé à l'aube — c'était certainement l'aube, on entendait des alouettes dans le ciel et l'herbe semblait avoir passé la nuit dehors. J'ai ensuite cherché ce qu'on pourrait trouver de plus voyant en fait d'oiseau, j'ai soigneusement mesuré la distance, et j'ai fait feu. Ils ont prétendu plus tard qu'il s'agissait d'un oiseau domestique, ce qui est ridicule, car il a eu l'air très effrayé quand il a entendu les premiers coups de feu. Il s'est ensuite calmé, et quand il a cessé de faire au revoir au paysage avec ses pattes, j'ai dit au gamin du jardinier de le tirer jusque dans le vestibule, pour que tout le monde puisse le voir en allant prendre le petit déjeuner dans la salle à manger. Quant à moi, je me suis fait servir dans ma chambre. Je me suis laissé dire que ce repas fut marqué par un esprit fort peu chrétien. J'imagine qu'introduire des plumes de paon dans une maison porte malheur. En tout cas, lorsque j'ai pris congé, j'ai vu dans l'œil de la maîtresse de maison que j'étais rayé dans son carnet d'adresses.

Bien sûr, il existe de ces hôtesses qui vous pardonneront n'importe quoi, même vos instincts pavonicides (je me demande si le mot existe), si vous êtes joli garçon et suffisamment excentrique pour faire une moyenne avec les autres. Parmi ces derniers, citons la jeune personne qui lit George Meredith ; elle apparaît aux heures des repas avec une inquiétante ponctualité, vêtue d'une robe faite à la maison et dont elle n'a pas fini de se repentir. Elle finira par se dénicher un mari aux Indes, et reviendra en métropole admirer les peintres officiels du Salon et imaginer qu'un curry de crevettes assez quelconque pourra indéfiniment passer aux yeux des gens pour un déjeuner convenable. C'est alors qu'elle devient vraiment dangereuse, mais cela ne saurait rivaliser avec la dame qui, sans la moindre provocation, ne cesse de poser des questions extraordinaires. Ainsi l'autre jour, alors que je faisais déjà des efforts pour comprendre la moitié de ce que je disais, en voilà une, à la recherche de vérités éternelles, qui s'avise de me demander combien on pourrait mettre de poulets dans une volière de trois mètres sur deux, ou quelque chose comme cela ! Des quantités, lui ai-je répondu, si vous gardez la porte bien fermée. Cette idée a semblé la frapper comme une nouveauté. En tout cas, on ne l'a plus entendue de la soirée.

Évidemment, on prend parfois des risques et l'on commet des erreurs. Mais elles peuvent se révéler positives à long terme. Prenons les colonies d'Amérique, par exemple. Si nous ne les avions pas si sottement perdues, nous n'aurions jamais eu d'Américains pour venir nous enseigner de nouvelles coupes de cheveux ou de vêtements, or il faut bien que nos idées nous viennent de quelque part, n'est-ce pas. Même le voyou doit venir de quelque part : il a dû être inventé en Chine il y a des siècles de cela, bien avant que nous n'y songions nous-mêmes. Il faut que l'Angleterre se réveille, a dit quelqu'un l'autre jour. Le duc de Devonshire ? Ou un autre. Mais n'allez pas croire que je me laisse aller à désespérer de l'avenir. Des quantités de gens sont ainsi, et puis voilà l'avenir qui arrive, et qui trouve formidable ce qu'ils ont fait d'après leurs idées du temps. Imaginez les arrière-petits-enfants des gens d'aujourd'hui s'avisant de me trouver bien convenable : épouvantable pensée !

Tenez, il y a des moments où l'on se sent de la sympathie pour Hérode.

(Titre original : *Reginald on House-Parties*)

REGINALD AU CARLTON

— Notre climat est extrêmement changeant, annonça la duchesse, et quel dommage que nous ayons eu un temps si froid alors que le charbon était si cher ! Comme c'est affligeant pour les pauvres gens.

— Quelqu'un, fit remarquer Reginald, a affirmé que la Providence est toujours du côté de ceux qui ont des revenus.

La duchesse prit un air choqué et croqua un anchois. Elle était suffisamment conservatrice pour détester qu'on parlât des revenus avec légèreté.

Reginald avait laissé à l'intuition féminine de la duchesse le choix de la cantine. Il s'occupa cependant des vins, n'ignorant pas que le bordeaux échappe à l'intuition en question. La femme choisit volontiers un mari pour une amie un peu disgraciée, elle participera à une discussion politique à laquelle elle n'entend rien, mais elle hésitera toujours devant un bordeaux.

— Je trouve toujours quelque chose de pathétique aux hors-d'œuvre, dit Reginald. On pense à son enfance, où l'on se demande tout le temps ce qu'il y aura après — et pendant que la suite du menu se déroule, on se dit que, si l'on avait su, on aurait pris davantage de hors-d'œuvre. Mais n'adorez-vous

202

pas observer la façon dont les gens entrent dans un restaurant ? Il y a la dame qui entre au pas de charge, comme si toute son existence dépendait d'un despotisme qui ne tiendrait plus que par un fil. On est tout heureux de la voir atteindre sa chaise en toute sécurité. Ensuite, il y a ceux qui arrivent en rangs serrés, comme s'ils accomplissaient une corvée, on dirait les anges de la mort pénétrant dans une ville où règne la peste. C'est souvent le style que les Anglais adoptent à l'étranger. Et puis en ce moment, il faut y ajouter les grands-bourgeois de Johannesburg, qui ont l'air de participer à un grand rallye Le Cap-Le Caire.

— A propos des hôtels à l'étranger, dit la duchesse, je prépare pour le club une conférence sur l'influence éducative des voyages modernes, principalement d'un point de vue moral. Je parlais l'autre jour à la tante de Lady Beauwhistle — elle rentre de Paris. Une femme charmante...

— Et complètement idiote. C'est tellement reposant, à une époque où les femmes reçoivent beaucoup trop d'instruction. On prétend que des gens ont subi tout le siège de Paris sans savoir que la France et l'Allemagne étaient en guerre ; eh bien, il paraît que la tante Beauwhistle est restée tout l'hiver à Paris, au moment de l'affaire Thérèse Humbert, en croyant qu'il s'agissait d'une marque de bicyclettes... N'y a-t-il pas un évêque, ou quelqu'un dans ce genre, qui prétend que nous retrouverons dans un autre monde tous les animaux que nous avons connus sur cette terre ? Ce serait extrêmement gênant de rencontrer ainsi toute la friture que nous avons pu manger chez Prince's ! Je serais capable, dans mon émotion, de ne parler que de citrons. Mais cela leur ferait le même effet, que nous les ayons mangés ou non. Quant à moi, je sais que si l'on me servait à un festin cannibale, je serais extrêmement vexé si l'on me trouvait un peu dur, ou pas très frais.

— Le thème de ma conférence, reprit précipitamment la duchesse, est d'étudier si la promiscuité que l'on observe au cours des voyages sur le Continent n'a pas pour effet d'affaiblir la conscience sociale : il y a des gens que l'on connaît et qui sont parfaitement convenables en Angleterre. Transportez-les de l'autre côté de la Manche, ils sont complètement différents.

— Disons qu'il s'agit là de mœurs internationales : c'est comme dans l'édition, on prend aussi ce qu'il y a de mieux ailleurs. Après tout, les excédents de bagages coûtent si cher sur certaines lignes étrangères, on doit faire une sérieuse économie en laissant sa réputation chez soi.

— Mon cher Reginald, un scandale est un scandale à Monaco comme à, disons Exeter.

— Un scandale, ma chère Irene — je peux vous appeler Irene, n'est-ce pas ?

— Nous connaissons-nous depuis assez longtemps pour cela ?

— Depuis plus longtemps que votre parrain quand il vous a choisi ce prénom. Le scandale, c'est tout bonnement une concession que la bonne société fait aux gens ennuyeux. Songez donc à ce que les aventures des autres apportent à des existences banales et irréprochables. Au fait, qui est donc cette femme à notre gauche, celle avec ces dentelles anciennes ? Bah, peu importe. Cela se fait beaucoup aujourd'hui, de dévisager les gens comme si c'étaient des poulains à la vente de Tattersall.

— Mrs. Spelvexit ? Une femme charmante. Elle vit séparée de son mari...

— Pour incompatibilité de revenus ?

— Pas du tout. Je dirais plutôt que des mers de glace les séparent. Il explore les banquises, il étudie les mouvements des harengs, il a écrit un livre passionnant sur les mœurs des Esquimaux et leur vie de famille. La sienne étant naturellement réduite à sa plus simple expression.

— Bizarre qu'un mari qui ne se déplace qu'avec le Gulf Stream ait aussi peu de biens liquides.

— Elle en est bien consciente. Aussi collectionne-t-elle les timbres-poste. Cela peut toujours servir. Les gens qu'elle fréquente, ce sont les Whimple, de vieux amis à moi, toujours en difficulté, les malheureux.

— Et pas de ces problèmes que l'on peut laisser de côté comme on voudrait ; c'est plutôt dans le genre de l'opium ou d'une chasse à la grouse — quand on a commencé, il faut continuer.

— Leur fils aîné les a beaucoup déçus. Ils voulaient en faire un linguiste, et ils ont dépensé des fortunes à lui faire apprendre toutes sortes de langues, des douzaines, et puis là-dessus, il est entré à la Trappe. Quant au plus jeune, ils espéraient lui faire épouser une de ces riches héritières américaines, mais voilà qu'il s'est intéressé à la politique. Il écrit des brochures sur le logement des pauvres. Bien sûr, c'est un sujet important, et j'y consacre personnellement pas mal de temps tous les matins. Mais comme dit Laura Whimple, il faut commencer par s'installer soi-même avant d'installer les autres. Cela la tourmente beaucoup, ce qui ne l'empêche pas d'avoir conservé un excellent appétit. Je trouve cela très désintéressé de sa part.

— On peut être déçu de différentes façons. Tenez, j'ai connu une jeune personne qui a soigné un vieil oncle très riche avec un courage très chrétien. Eh bien, quand il est mort, il a tout laissé à la Recherche sur la fièvre porcine. Pour ce qui est du courage très chrétien, elle semble avoir épuisé le sujet. Maintenant, elle organise des récitals de poésie dans les salons. Basse vengeance, à mon avis.

— La vie réserve énormément de déceptions, fit remarquer la duchesse. L'art du bonheur est sans doute de n'y voir que des illusions perdues. Ce qui se révèle de plus en plus difficile quand on vieillit.

— C'est plus courant que vous ne semblez l'imaginer. Les jeunes ont des aspirations qui ne leur passent pas, et les vieux des souvenirs de ce qui n'est jamais arrivé. Il n'y a que les gens entre deux âges à être vraiment conscients de leurs limites. C'est pourquoi il faut montrer tant de patience avec eux. Du moins, c'est ce qu'on devrait faire.

— Après tout, dit la duchesse, les déceptions de l'existence dépendent de notre évaluation. Nos successeurs se souviendront peut-être de nous pour des qualités et des réussites que nous négligions.

— Ne comptons cependant pas trop sur les tendances commémoratives de nos descendants. Les saints du Moyen Age ont probablement connu des déceptions au cours de leur existence, mais cela leur aurait-il fait tellement plaisir de savoir que leur nom servirait principalement à baptiser des chevaux de course ou des bordeaux bon marché ? Et maintenant, si cependant j'ose vous arracher à ces amandes salées, nous allons prendre le café sous ces palmiers en pots si nécessaires à notre difficulté d'être.

(Titre original : *Reginald at the Carlton*)

REGINALD ET LE PÉCHÉ D'HABITUDE

La femme qui disait la vérité.

Il était une fois, commença Reginald, une femme qui disait la vérité. Bien sûr, cela ne lui était pas venu subitement. Petit à petit, elle en avait pris l'habitude, comme on voit des lichens envahir un arbre apparemment sain. Elle n'avait pas d'enfants — les choses auraient peut-être été différentes. Cela commença par de petits riens, sans raison précise — simplement sa vie lui semblait vide, et c'est ainsi que l'on tombe dans l'habitude de dire la vérité à tout propos, et ensuite il devient très difficile de fixer une limite pour des cas plus sérieux. C'est ainsi qu'elle finit par dire son âge : « J'ai quarante-deux ans et cinq mois. » Vous voyez, elle en était arrivée au mois près. Cela fit sans doute plaisir aux anges, mais infiniment moins à sa sœur aînée. Et le jour de son anniversaire, cette dame, au lieu des billets d'opéra dont elle avait envie, se vit offrir par cette sœur une vue de Jérusalem prise du mont des Oliviers, ce qui relève d'un genre bien différent. La vengeance d'une sœur aînée est parfois longue à venir mais, comme l'express du Sud-Est, elle finit toujours par arriver. Les relations de cette femme essayèrent bien de la dissuader de trop s'abandonner à cette pratique, mais elle prétendit être mariée à la vérité. On fit alors remarquer qu'il était dans ces conditions assez illogique de se produire ainsi en public : l'épouse prévoyante ne va pas déjeuner régulièrement avec son mari si elle tient à provoquer son admiration à un dîner. Il faut qu'il ait eu le temps d'oublier, et l'après-midi n'y suffirait pas. Puis ses amis commencèrent à s'en aller par plaques. Sa passion pour la vérité se révélait incompatible avec un carnet d'adresses bien rempli. Par exemple, elle crut devoir dire à Miriam Klopstock l'impression exacte que cette dernière avait produite au bal des Ilex. Bien sûr, Miriam lui avait demandé son avis sincère, mais n'était-ce pas une attitude contradictoire pour une dame qui, chaque dimanche, allait à l'église prier pour la paix dans le monde ?

Dommage, disaient les gens, qu'elle n'eût pas d'enfants : un ou deux dans la maison l'auraient peut-être inconsciemment détournée de trop s'adonner à la vérité. Les enfants nous sont envoyés pour décourager nos meilleures intentions. C'est pourquoi le théâtre, malgré tous ses efforts, ne sera jamais aussi artificiel que la vie. Même dans les drames d'Ibsen, il faut bien dire aux spectateurs des choses que l'on cacherait aux enfants et aux domestiques.

Si c'est le destin qui d'abord lui avait fait dire la vérité, il porte certainement une part de responsabilité. Mais elle était coupable également en n'ayant pas d'enfants. Coupable par imprudence, mettons.

Petit à petit, elle se sentait devenir l'esclave de ce qui, d'abord, n'avait été que simple inclination sans importance. Et un jour, elle fut prise au piège. Les femmes disent quatre-vingt-dix pour cent de la vérité à leur couturière. Les dix pour cent qui restent constituent le minimum de mensonge au-delà duquel aucune cliente qui se respecte ne saurait aller. La maison de couture de Mme Draga rassemblait les vérités toutes nues et les mensonges en grande toilette. L'endroit rêvé pour se dire que le moment était venu de tenter une dernière fois de retrouver les petites faussetés naïves du passé. D'ailleurs, Mme Draga l'y encourageait, avec cette expression du sphinx qui sait tout et qui préfère en oublier la plus grande partie. Ministre de la Guerre, elle aurait été célèbre. Les choses étant ce qu'elles sont, elle se contentait d'être riche.

— Si je rentrais un peu ici — attendez, s'il vous plaît, Miss Howard — comme cela, voilà, je crois que ce serait très bien — comment vous sentez-vous ?

La femme hésita. Un tout petit effort, et elle partageait le point de vue de Mme Draga. Mais l'habitude était devenue trop forte : « Il me semble, dit-elle d'un ton hésitant, que c'est quand même un tout petit peu trop. »

Elle comprit immédiatement l'immensité de l'esclavage où la vérité la tenait prisonnière. Mme Draga sembla furieuse d'être ainsi contredite sur le plan professionnel. En ce cas, on s'en apercevait généralement plus tard sur sa note.

Enfin, comme elle s'y attendait depuis longtemps, la chose effroyable arriva : ce fut une de ces petites vérités pitoyables qui la harcelaient tout le long du jour. Un mercredi matin glacial, en quelques mots mal choisis, elle dit que la cuisinière buvait. Elle devait se souvenir de la scène comme si Edwin Austin Abbey l'avait peinte pour elle. Pour une cuisinière, c'était une bonne cuisinière. Et c'est ainsi qu'elle rendit son tablier.

Miriam Klopstock vint déjeuner le lendemain. Les femmes, comme les éléphants, n'oublient jamais les offenses.

(Titre original : *Reginald on Besetting Sins*)

LE DRAME DE REGINALD

Reginald ferma les yeux avec cette langueur affectée de ceux qui ont de beaux cils et ne voient pas pourquoi ils le cacheraient.

— Un jour, dit-il, je vais écrire un drame vraiment grand. Personne n'en comprendra le sens profond, ils rentreront tous chez eux vaguement déçus de leur vie et de l'endroit où elle se déroule. Alors ils changeront le papier de tenture et ils oublieront.

— Et ceux qui possèdent des maisons entièrement lambrissées de chêne ? demanda l'interlocuteur.

— Eh bien, ils n'auront qu'à changer le tapis de l'escalier. D'ailleurs, que la fin soit heureuse pour les spectateurs ne dépend pas de moi. J'aurai bien assez de soucis avec la pièce. Il me faudra un évêque pour la trouver immorale mais magnifique — aucun auteur dramatique n'y a songé auparavant, tout le monde viendra pour contredire l'évêque et ils resteront par simple timidité. Parce qu'il faut énormément de force morale pour s'en aller au milieu du deuxième acte en claquant son fauteuil, alors qu'on a demandé sa voiture pour minuit. Cela commencera par des loups en train de poursuivre quelqu'un sur une lande désolée. Naturellement, on ne les verra pas. On les entendra seulement gronder et claquer des mâchoires. Je m'arrangerai aussi pour que la rampe suggère quelque chose dans ce sens. Et puis cela fera très bien sur le programme. « Au premier acte, des loups, par Jamrach. » La vieille Lady Whortleberry, qui ne rate jamais une première, poussera les hauts cris. Depuis la mort de son premier mari, elle a toujours peur. Il est mort subitement en regardant un match de cricket contre l'équipe du comté. En l'espace de sept points, il était tombé pas loin de dix centimètres d'eau. Ce doit être l'émotion qui l'a tué. Bref, ce fut pour elle un choc. Et puis, vous comprenez, c'était le premier mari qu'elle perdait. Alors maintenant elle se met à hurler dès qu'il arrive quelque chose d'un peu extraordinaire tout de suite après le dîner. Quand le public aura entendu le cri des Whortleberry, tout devrait marcher comme sur des roulettes.

— Et l'intrigue ?

— Ce sera une de ces petites tragédies quotidiennes comme on en voit tout le temps autour de soi. Je songe à l'affaire Mudge-Jervis qui, dans son genre, n'est pas sans rappeler *Enoch Arden* de Tennyson par son intensité. Ils étaient peut-être mariés depuis dix-huit mois, mais les circonstances avaient fait qu'ils ne s'étaient pratiquement pas vus. Il avait toujours un double à jouer ou une revanche à prendre à l'autre bout du pays, quant à elle, elle visitait les quartiers pauvres avec la même énergie que s'il se fût agi d'un sport. Ce qui, avec elle, somme toute, devait être le cas. Elle appartenait à la Confrérie des Pauvres chères âmes : leur record est d'avoir failli convertir une laveuse. Personne n'a jamais réussi à convertir une laveuse, cela explique que la lutte soit si sévère. On sauve des âmes de femmes de ménage par centaines, par simple magnétisme personnel et en leur offrant une tasse de thé. Avec les laveuses, c'est autre chose. Les gages sont trop élevés. Cette blanchisseuse — elle venait de Bermondsey ou d'un coin comme cela — était vraiment un cas intéressant, et ils s'étaient mis dans la tête qu'elle ferait très bien dans leur vitrine, comme spécimen de repentie. Ils choisirent même le jour d'Agatha Camelford pour la montrer dans un salon. Le malheur voulut qu'on offrît des chocolats à la liqueur — des vrais, avec beaucoup de liqueur et très peu de chocolat. Naturellement, la misérable tomba dessus et s'en empiffra. C'était comme si elle avait trouvé un marchand de coquillages au beau milieu d'un désert, devait-elle expliquer plus tard. La liqueur commençant à faire son effet, elle se mit à imiter les différents animaux de basse-cour que l'on rencontre à Bermondsey. Elle imita la danse de l'ours. On sait qu'Agatha désapprouve la danse, sauf à Buckingham Palace, avec un chaperon convenable. Puis elle escalada le piano comme un singe sur un orgue de Barbarie. J'imagine qu'elle en donna une interprétation réaliste plutôt que de traiter cela à la manière symboliste de Maeterlinck. Elle finit par dégringoler dans le piano et prétendit être un perroquet dans une cage, rôle qui, tout improvisé qu'il fût, devait lui aller à la perfection. Personne n'avait jamais entendu rien de pareil, sauf la baronne Boobelstein qui a assisté à des séances du Reichsrat autrichien. Pour le moment, Agatha suit une cure de repos à Buxton.

— Mais la tragédie ?

— Ah oui, les Mudge-Jervis. Eh bien, tout allait pour le mieux, leur vie conjugale était un échange constant de cartes postales illustrées. Or un jour ils se rencontrèrent en terrain neutre, là où les doubles et les laveuses se rencontrent. Ce fut pour découvrir leur désaccord fondamental sur la question fiscale. Le mieux, pensèrent-ils, était de se séparer. Elle aura la garde des chats persans neuf mois par an — ils passeront l'hiver avec lui, pendant qu'elle séjourne à l'étranger. Voilà de quoi faire une tragédie directement tirée de la vie. On pourrait intituler cela « Le

Prix à payer ». Bien sûr, il faudra y introduire une étude de la lutte entre les tendances héréditaires et le milieu, enfin, ce genre de choses. Le père de la dame pourrait être l'envoyé de quelque petite principauté allemande, et c'est ainsi qu'elle aurait été prise de cette passion pour les pauvres, et cela malgré une éducation très soignée. « Et v'lan, c'est pas ton père ! » comme avait dit le coucou avant d'avaler celui qui l'avait nourri. Amusant.

— Et les loups ?

— Les loups, eh bien, ils constitueraient une sorte de courant souterrain dont on n'aurait jamais l'explication claire. Après tout, la vie n'est-elle pas pleine de choses qui restent inexpliquées et illogiques ? Et quand les personnages ne trouveraient rien de particulièrement brillant à dire sur le mariage ou le ministère de la Guerre, ils pourraient toujours ouvrir la fenêtre et écouter les loups hurler. Mais cela n'arriverait que très rarement.

(Titre original : *Reginald's Drama*)

REGINALD ET LES TARIFS

Je n'ai pas l'intention de discuter la question fiscale, dit Reginald. Parce que j'ai envie d'être original. Cependant, je crois que nous souffrons plus du libre-échange que nous ne l'imaginons. Par exemple, il faudrait mettre une taxe énorme sur un partenaire qui étale une longue rouge faible et s'en remet à la grâce de Dieu. Et ce n'est pas une liberté totale sur les potins qui compensera cela. A mon avis, il devrait exister une prime à l'exportation — cela doit s'appeler ainsi — sur ces raseurs qui vous reprochent de ne pas prendre la vie au sérieux. Je ne connais que deux sortes de gens qui sont bien obligés de la prendre au sérieux, la vie : les écolières de treize ans et les Hohenzollern. On leur accorderait une dispense. Pour les Albanais, c'est autre chose : c'est la vie qu'ils prennent quand l'occasion s'en présente. Je n'ai jamais entretenu de relations qu'avec un seul Albanais, assez décadent par-dessus le marché. C'était un chrétien et il était épicier de son état, et je ne pense pas qu'il ait jamais tué personne. Je n'ai pas voulu l'interroger à ce sujet — ce qui prouve assez ma délicatesse. Mrs. Nicorax prétend que j'en suis totalement dépourvu : c'est parce qu'elle ne m'a pas pardonné le coup des souris. Vous comprenez, je séjournais chez elle, et presque toute la nuit, il y avait une souris qui interprétait le cake-walk dans ma chambre. Les pièges les plus perfectionnés semblaient l'amuser énormément. J'ai décidé de la prendre du bon côté — chez les souris, c'est l'intérieur. Je l'ai appelée Percy, et tous les soirs, je déposais de petites délicatesses à côté du trou par où elle sortait. Ainsi elle se tenait tranquille pendant que je lisais *Degeneration* de Max Nordau, et ce genre de littérature de combat, avant de m'endormir. Seulement, elle affirme que maintenant toute une colonie de souris occupe la pièce.

Pour ce qui est de l'indélicatesse, c'est autre chose. Un jour, elle a voulu que nous allions faire du cheval, une idée à elle. Nous traversions des prairies pour rentrer, et ne voilà-t-il pas qu'elle se met en tête de faire sauter à son poney une sorte de petit ruisseau assez malpropre qui coulait par là. Le poney n'a pas voulu. Il est allé avec elle jusqu'au bord de l'eau, ensuite elle a continué toute seule. Bien entendu, il a fallu que je la repêche. Or mes culottes de cheval n'ont pas été taillées pour la pêche au saumon — c'est déjà tout un art de monter à cheval avec. Elle portait une amazone croisée, le genre qu'il vaut mieux abandonner en cas d'urgence — et la chose était restée accrochée dans les roseaux. Elle a voulu que je la repêche également, mais j'ai trouvé que pour un après-midi d'octobre, j'avais suffisamment joué les filles de pharaon, et puis c'était l'heure de mon thé. Alors j'ai chargé la dame sur le poney, et j'ai ramené le tout aussi vite que possible. A cause de l'humidité et d'une responsabilité accrue, ce qui restait du costume semblait mal supporter la vitesse, et elle est devenue tout à fait furieuse quand je lui ai crié à mon tour que je n'avais pas d'épingles sur moi, ni même un morceau de ficelle. Il est de ces femmes dont les exigences sont extraordinaires. Nous sommes ainsi arrivés à la grande allée, et elle a voulu que nous contournions par les écuries. Or tous les poneys savent qu'on leur donnera un morceau de sucre à la grande grille, et je n'ai jamais essayé de contrarier un poney qui tire sur sa bride. Quant à Mrs. Nicorax, elle avait déjà toutes les peines du monde à retenir ce qui restait de ses vêtements (comme le fit remarquer sa femme de chambre, cela constituait un *tout* plutôt qu'un *ensemble*). Naturellement, bien ma chance, dit-elle, toute la compagnie était sortie sur la pelouse admirer le coucher du soleil — c'était la seule fois du mois où il s'était montré — et je n'oublierai jamais l'expression du mari à notre arrivée. Il s'exclama simplement : « Ah, ma chère, c'est trop ! » en considérant l'état de sa toilette. C'est la remarque la plus brillante que je l'aie jamais entendu faire, et je me suis sauvé dans la bibliothèque pour en rire à mon aise. Et Mrs. Nicorax de prétendre que je ne possède aucune délicatesse.

A propos de tarifs, le garçon d'ascenseur — il lit énormément entre les étages — prétend qu'il ne faut pas taxer les matières premières. Au fait, les matières premières, qu'est-ce que c'est exactement ? Mrs. Van Challaby dit que les hommes en sont avant qu'on les épouse. Quand ils sont tombés sur Mrs. Van C., j'imagine qu'ils deviennent rapidement des produits finis. Elle ne doit pas manquer d'expérience dans ce domaine. Elle a perdu son premier mari dans un accident de chemin de fer, le second dans un procès en divorce, celui qu'elle a en ce moment vient de se faire coincer dans un comité du Bœuf. « D'ailleurs, que faisait-il dans un comité du Bœuf ? » m'a-t-elle demandé d'une voix que les larmes suffoquaient. J'ai suggéré qu'il était peut-être malheureux chez lui. J'ai dit cela histoire de relancer la conversation. Ça n'a pas raté. Dans ses moments d'accalmie, Mrs. Van Challaby dit de moi des choses qui font frémir. Comme c'est embêtant que les gens ne puissent pas aborder les problèmes fiscaux sans s'emporter. Elle m'a cependant écrit pour me demander si je ne pourrais pas lui trouver un yorkshire terrier de la taille et de la couleur qui se font en ce moment, ce qui est une façon pour une femme de reconnaître qu'elle a eu tort. Et elle lui mettra un ruban rose saumon autour du cou, elle l'appellera « Reggie » et elle l'emmènera partout avec elle — comme cette pauvre Miriam Klopstock, qui avait voulu emmener son chow dans la salle de bains avec elle, et pendant qu'elle prenait son bain, le chien a déchiré tous ses vêtements. Comme Miriam est toujours en retard pour le petit déjeuner, on n'a commencé à s'inquiéter qu'au milieu du déjeuner.

Mais, assez sur la question fiscale. Si seulement on m'évite le partenaire avec un faible pour le rouge.

(Titre original : *Reginald on Tarifs*)

REGINALD ET LES RÉJOUISSANCES
DE NOËL

On dit, rappela Reginald, que rien n'est plus triste que la victoire, sauf la défaite. Quand on a passé avec des gens sans intérêt ce qui est considéré comme la saison des fêtes, on est amené à revoir cette affirmation. Jamais je n'oublierai mon Noël chez les Babwold. Mrs. Babwold est une parente de mon père — une de ces cousines un peu oubliées —, et comme elle m'avait déjà invité une demi-douzaine de fois, le moment était venu d'accepter. Mais pourquoi faut-il que les enfants payent pour les fautes de leur père — non, vous ne trouverez pas de papier dans ce tiroir ; je n'y conserve que des menus anciens et des programmes de première.

Mrs. Babwold a quelque chose d'assez solennel, personne ne l'a jamais vue sourire, même quand elle dit des choses désagréables à des amis ou qu'elle dresse la liste des achats. Elle a une façon triste de se distraire. Mettons qu'elle fait songer à un éléphant officiel au Durbar. Son mari jardine par tous les temps. Quand je vois quelqu'un aller sous une pluie battante écheniller les rosiers, j'en conclus que quelque chose ne va pas dans sa vie de famille. Et puis ce doit être très déplaisant pour les chenilles.

Naturellement, il y avait d'autres invités, en particulier un certain Major Quelque-chose qui avait chassé je ne sais quoi en Laponie, si je me souviens bien. Et il nous resservait sa chasse presque à chaque repas, avec des précisions insupportables sur la longueur de ses prises, comme s'il s'imaginait que nous avions l'intention de nous en faire des sous-vêtements chauds pour l'hiver. Je l'écoutais avec une profonde attention qui devait bien m'aller jusqu'au jour où, d'un petit air modeste, j'ai donné les dimensions d'un okapi que je prétendais avoir tiré dans les marais du Lincolnshire. Le Major est devenu d'un joli rouge tyrien (sur le moment, je me suis dit que cela irait très bien dans ma salle de bains), et je crois qu'il a presque failli me détester. Mrs. Babwold a pris son air premier-secours-aux-blessés, et elle lui a demandé pourquoi il ne publiait pas un livre sur ses souvenirs de chasse : ce serait *tellement* passionnant. Elle ne devait se rappeler qu'ensuite qu'il lui avait offert deux gros volumes sur le sujet, avec son portrait en frontispice, une longue dédicace et, en appendice, une monographie sur les mœurs de la moule arctique.

Le soir, nous abandonnions les travaux et les distractions du jour, et la vie commençait vraiment. Les cartes étant jugées trop frivoles, la plupart des invités se retrouvaient dans un jeu littéraire. L'un des hôtes sortait dans le vestibule — à la recherche de l'inspiration, j'imagine —, il revenait, un cache-nez entortillé autour du cou et prenant l'air idiot, et les autres étaient censés découvrir qu'il était *Wee Mac-Greegor*. J'ai résisté le plus longtemps possible à ces inepties, puis finalement, pour leur faire plaisir, j'ai accepté de participer à leur charade, mais en les prévenant que cela risquait de prendre un certain temps. Ils ont donc attendu pas loin de trois quarts d'heure que je finisse une partie de quilles avec des verres à vin : cela se passait à l'office en compagnie du valet de pied : vous prenez un bouchon de champagne, et celui qui renverse le maximum de verres sans les casser a gagné. Eh bien, j'ai gagné, avec quatre verres intacts sur sept. William, quant à lui, était, je crois, trop tendu. Au salon les autres commençaient à devenir enragés, ils se demandaient ce que j'attendais, et ils n'ont été que médiocrement consolés quand je leur ai dit que j'étais *At the end of the passage* — au fond du couloir.

— Moi, je n'ai jamais aimé Kipling, a déclaré Mrs. Babwold, quand elle a commencé à réaliser. Je ne trouve rien de si extraordinaire à *Earthworms out of Tuscany* — les vers de terre de Toscane — ou bien est-ce de Darwin ?

Bien sûr, ces jeux sont fort instructifs mais, personnellement, je préfère le bridge.

Le soir de Noël, nous étions censés nous réjouir particulièrement, dans la vieille tradition anglaise. Il soufflait dans la grande salle un courant d'air effroyable, mais c'est là que devaient avoir lieu les réjouissances, et elle était décorée d'éventails japonais et de lanternes chinoises, ce qui devait produire un effet très vieille Angleterre. Sur le ton de la confidence, une jeune femme nous a gratifiés d'un interminable poème qui racontait les aventures d'une petite fille qui devait mourir de je ne sais trop quoi — enfin, ce genre de banalités. Puis le Major s'est lancé dans la description imagée d'un combat avec un ours blessé. Je me suis dit que, de temps en temps, je voudrais bien que ce soit l'ours qui gagne. Au moins, après, ils ne nous embêteraient pas avec ça. Nous n'avions pas encore eu le temps de nous en remettre, quand un jeune homme — il devait avoir une excellente mère et un tailleur bien quelconque, cela se voyait — entreprit de lire dans nos pensées. C'était le genre de jeune homme à continuer la conversation alors qu'on a servi un potage effroyablement épais, ou qui se lisse les cheveux d'un air anxieux, comme s'il craignait qu'ils ne lui sautent au visage. Son numéro fut assez réussi. Il déclara que notre hôtesse pensait à de la poésie, et elle admit que, de fait, elle songeait à une des odes d'Alfred Austin. Il n'était pas tombé si loin. En fait, je me demande si elle n'était pas tout bonnement en train de se demander si un collet de mouton et du plum-pudding froid feraient l'affaire pour le dîner de l'office. Enfin, véritable apothéose, nous nous sommes assis autour de la table de jeu, et nous avons joué pour des chocolats. J'ai reçu une éducation soignée, et j'ai horreur des jeux dont les prix sont des chocolats. J'ai donc prétendu avoir la migraine et j'ai disparu des lieux du combat. Miss Langshan-Smith m'avait précédé de quelques minutes. C'est une personne redoutable, elle se lève toujours à des heures incroyablement matinales, et on a l'impression qu'une ligne directe la relie aux principales chancelleries d'Europe, avant même que vous n'ayez pris votre petit déjeuner. Elle avait épinglé un papier sur sa porte, exigeant qu'on la réveillât très tôt le lendemain. Et c'était signé. Une telle occasion ne se produit pas deux fois. J'ai mis dessus une autre feuille, en ne laissant apparaître que la signature : j'y annonçais qu'avant le matin elle avait décidé de mettre un terme à une vie gâchée, qu'elle était désolée des ennuis qu'elle allait provoquer, et qu'elle apprécierait que les honneurs militaires lui fussent rendus. Je soufflai ensuite dans un sac en papier que je fis éclater sur le palier, puis je fis entendre des gémissements probablement perceptibles de la cave. Et là-dessus, j'allai me coucher. Les invités forcèrent la porte de la malheureuse en faisant un vacarme parfaitement déplacé. Elle leur opposa une résistance farouche, et je crois qu'ils ont dû la fouiller un bon quart d'heure à la recherche de balles, comme si elle avait été un champ de bataille historique.

J'ai horreur de voyager le lendemain de Noël, mais il est des occasions où il faut savoir faire ce que l'on déteste.

(Titre original : *Reginald's Christmas Revel*)

LES RUBAIYAT DE REGINALD

(à la manière d'Edward Fitzgerald)

L'autre jour, annonça Reginald, je passais le temps dans ma salle de bains, et je prenais de mauvaises résolutions pour la nouvelle année, quand il me vint soudain à l'esprit que j'aimerais assez être poète. Mais on prétend qu'il faut être né ainsi. Qu'à cela ne tienne, je me suis mis à la recherche de mon extrait de naissance, et j'ai trouvé que de ce côté-là tout était parfaitement en règle. Je me suis immédiatement attaqué à un Hymne pour l'An neuf, qui ne m'a pas semblé si mal. J'y suggérais des choses tout à fait inattendues à propos de gens fort problématiques, ce qui me semble la moindre des choses. Mais en voici un passage assez révélateur :

> Est-ce le coq dans la bruyère
> Ou l'escargot sous les feuilles
> (Epouse mère ou bien père)
> Dans la maison austère
> Est-ce un ours qui désespère ?

Cela semblait naturellement assez peu probable : cela ne peut que stimuler l'imagination, pour sortir le lecteur de sa médiocrité monotone. D'ailleurs, personne ne m'a jamais taxé d'être médiocre et monotone. Malgré tout, cet ours dans la maison austère me dérangeait bien un peu. Dans les maisons d'édition, tout le monde a trouvé cela parfait : on avait vu bien pire. Il n'en demeurait pas moins que le marché pour ce genre de productions est fort restreint.

Je me sentais donc vaguement découragé, quand la duchesse m'a demandé d'écrire quelque chose dans son album — quelque chose de persan, dans le genre décadent — et j'ai tout de suite imaginé un quatrain où il serait question d'une petite poule tout à fait dans le ton :

> Cot cot, fait la poule
> Mais déjà l'œuf roule
> Où est-il passé ?
> Oh il est cassé !

La duchesse en fut toute triste. Elle ne trouva cependant pas mon quatrain assez persan, comme si j'avais voulu lui donner un chaton dont la mère aurait fait un mariage d'amour plutôt que de raison. Je lui en ai donc écrit un autre :

> Le mois dernier la poule pondit
> Qu'est-elle devenue aujourd'hui
> Partie comme le temps s'enfuit
> Et les élus et nos deniers.

L'effet me semblait assez faisandé pour satisfaire le goût d'un chacal, avec une note pathétique profondément touchante. Mais la duchesse a vu une allusion politique dans le mot *élus* : or elle est présidente d'une association pour les Femmes-je-ne-sais-quoi, et on pourrait voir là des abominations. Je n'arrive jamais à me rappeler le parti qu'Irene entraîne à la ruine par son soutien, je me souviens par contre d'une fois où, comme j'étais chez elle, elle me donna une brochure à remettre à un électeur hésitant, et du raisin et de petites douceurs à porter chez une malade qui souffrait d'un refroidissement aggravé par l'absorption d'une spécialité pharmaceutique. J'avais trouvé beaucoup plus astucieux de donner le raisin au monsieur et le manifeste à la dame, ce qui ne plut pas du tout à la duchesse. La brochure commençait, paraît-il, par « A ceux qui tremblent » — je n'étais pas responsable d'un titre aussi idiot — et la femme ne s'en remit jamais. Quant à l'électeur, le raisin et les confitures le convainquirent définitivement, ce qui somme toute faisait une moyenne. La duchesse prétendit qu'il s'agissait de corruption, et que cela risquait de compromettre son candidat : il devait subventionner des œuvres pieuses, bâtir des églises, organiser des équipes de football, de cricket, des régates, créer des marchés, des comices, donner des bourses aux carillonneurs, des prix aux éleveurs de volailles, aux meilleurs laboureurs, aux champions de tir, etc. C'est dire si le soupçon de corruption tombait mal.

Mais peut-être ai-je plus de talent comme agent électoral que comme poète et cette histoire de quatrains m'entraînait-elle trop loin. La poule oubliée, la duchesse me suggéra de faire quelque chose dans le goût français. Me voilà en train de me creuser la tête à la recherche de classiques à massacrer, et voici ce que cela donna :

> Prête-moi ta plume ami jardinier
> Non elle est perdue et mes poires aussi
> Mais devant le prince il faudra le nier
> Kaikobad est loin pauvre jardinier

Eh bien, Irene ne fut pas vraiment enchantée. Ce devait être la géographie qui la tracassait, et elle devait prendre Kaikobad pour une ville d'eau allemande, où l'on trouve des coureurs de dot et des princes poldèves disponibles. La duchesse commençait à m'agacer un peu. Je suis charmant quand je suis en colère. (J'espérais que vous alliez dire que cela m'arrive souvent. Je ne voudrais pas monopoliser la conversation.)

— Naturellement, si ce que vous voulez, c'est quelque chose de vraiment persan, passionné, avec du vin rouge et des rossignols... continuai-je.

Mais elle m'a arraché son album des mains.

— Pour rien au monde. Ni vin rouge ni passion. C'est cette chère Agatha qui m'a donné cet album, et elle serait profondément blessée si...

J'émis un doute quant à la possibilité pour Agatha d'être blessée de la sorte. Bref, la discussion a repris. La duchesse a fini par dire qu'elle ne voulait rien voir d'inconvenant dans son album, je lui ai répondu que je n'avais pas du tout l'intention d'écrire dans cet album ridicule, et qu'ainsi nos points de vue n'étaient pas tellement différents. Elle a passé le reste de l'après-midi à faire semblant de bouder, et pendant ce temps-là, naturellement, je travaillais à mon quatrain, comme un fox-terrier qui a enterré un encas dans une plate-bande. Quand l'occasion s'est présentée, j'ai cherché dans l'album l'autographe d'Agatha, qui occupait toute la première page puis, copiant son écriture compassée, j'ai ajouté ce petit poème dans le goût tibétain :

Que le dâk est doux près de toi aimée
(Ce transport est assez peu estimé)
Quand nous chevauchons les yaks des montagnes
Enfin débarrassés de tes compagnes
Ou préfères-tu ta Panhard au Bois ?

Agatha sur un yak en compagnie d'un amant, même au fin fond des relatives solitudes tibétaines, c'est parfaitement invraisemblable. Je ne l'imagine même pas avec son mari sous le tunnel du Simplon. Mais, comme je l'ai déjà dit, la poésie ne doit-elle pas exalter notre imagination ?

226

Au fait, l'autre jour, quand vous m'avez demandé si je voulais dîner avec vous le 14, je vous ai répondu que je dînais avec la duchesse. Eh bien non, je dîne avec vous.

(Titre original : *Reginald's Rubaiyat*)

L'INNOCENCE DE REGINALD

Reginald glissa un œillet d'une nuance toute nouvelle dans la boutonnière de son dernier veston d'intérieur, et il observa le résultat avec satisfaction.

— Je suis exactement dans l'état d'esprit, dit-il, pour faire faire mon portrait par un artiste à l'avenir indiscutable. Ce serait tellement rassurant de passer à la postérité sous le titre « Le jeune homme à l'œillet rose » dans le catalogue à côté de « L'enfant au bouquet de primevères », enfin, ce genre de choses.

— Le jeune homme, dit l'autre, cela suggère l'innocence.

— Il faut toujours se méfier de ces suggestions. Parce que je ne pense pas que cela aille ensemble. Bien sûr, les gens parleront vaguement de l'innocence d'un enfant, tout en prenant bien soin de ne pas le perdre de vue plus de vingt minutes. Seules les marmites qu'on surveille ne débordent pas. J'ai connu jadis un garçon vraiment innocent. Ses parents appartenaient à la bonne société, et depuis sa plus petite enfance, ils ne s'étaient jamais posé le moindre problème à son sujet. Il croyait à ce qu'affirmaient les prospectus publicitaires, à l'honnêteté des élections, aux femmes qui se marient par amour, et même à une martingale pour gagner à la roulette. Il y croyait encore lorsque la somme qu'il avait déjà perdue mit ses patrons en faillite. La dernière fois que j'ai entendu parler de lui, il croyait encore à son innocence, mais le jury ne l'avait pas suivi dans cette voie. Quant à moi, je suis pour le moment innocent de quelque chose dont tout le monde m'accuse, alors que, jusqu'à nouvel ordre, leurs accusations sont parfaitement injustifiées.

— Drôle d'attitude, en ce qui vous concerne. Et inattendue.

— J'adore voir les gens faire des choses inattendues. Ne trouvez-vous pas délicieuse l'histoire de l'homme qui tue un lion dans une fosse par un jour de neige ? Mais revenons-en à l'innocence en question. Il y a pas mal de temps, alors que je m'étais disputé avec plus de gens que d'ordinaire — et avec vous en particulier, ce devait être en novembre au plus tard, parce que je ne me dispute jamais avec vous à l'approche de Noël — il m'était venu à l'idée d'écrire un livre, un livre de souvenirs personnels, où j'aurais tout dit.

— Oh, Reginald !

— Exactement la réaction de la duchesse. Naturellement, en un rien de temps le bruit courait que j'avais achevé le livre et qu'il était déjà sous presse. Conséquence, je me retrouvais comme un poisson rouge dans son bocal, avec tout le monde qui me tournait autour et m'abordait dans les moments les plus inattendus, en m'implorant de sauter des anecdotes que j'avais complètement oubliées, quand ils ne l'exigeaient pas purement et simplement. Un soir que j'étais assis au balcon du *His Majesty's Theatre* en compagnie de Miriam Klopstock, la voilà qui me rappelle l'histoire du chow dans la salle de bains. Elle voulait absolument que je supprime cela. Nous nous lançons dans une discussion sans cesse interrompue par les autres spectateurs qui voulaient écouter la pièce. Et vous savez que Miriam a une voix extraordinaire. On a dû lui interdire le Macaws Hockey Club parce que, par un jour tranquille, on pouvait entendre à un kilomètre ce qu'elle pensait de celles qui lui donnaient en mêlée des coups de pied dans les tibias, et il y avait de quoi faire rougir un corps de garde. Finalement, j'ai accepté un changement, car j'ai prétendu y avoir mis un spitz au lieu d'un chow. A part cela, je suis resté de marbre. Deux minutes plus tard elle s'exclamait, avec une voix de corne de brume : « Vous m'aviez pourtant promis que vous n'en parleriez jamais. Vous ne tenez donc jamais vos promesses ? » Nos voisins nous lançaient des regards furibonds. « Pas plus que le reste », ai-je répondu d'un air badin. Elle a déchiré son programme en petits morceaux pendant une minute ou deux, puis elle s'est penchée vers moi pour laisser tomber avec mépris : « Vous n'êtes pas du tout le garçon que je croyais », comme l'aigle arrivant dans l'Olympe pour s'apercevoir qu'il s'était trompé de Ganymède. Puis elle ne dit plus rien, mais elle continua à déchirer son programme et à en répandre les morceaux autour d'elle, jusqu'à ce qu'un voisin lui demande, avec la plus grande dignité, s'il lui fallait une corbeille à papiers. Quant à moi, je suis parti avant le dernier acte.

Et puis il y a cette Mrs. ... bah, j'oublie toujours son nom. Elle habite une rue dont les cochers de fiacre n'ont jamais entendu parler et son jour, c'est le mercredi. Un jour, à un vernissage, elle m'a fait peur en me disant d'un ton mystérieux : « Je ne devrais pas être ici, c'est un de mes jours. » J'ai cru sur le moment qu'elle devait être sujette à des crises soudaines, et que cela n'allait pas tarder à lui arriver. On imagine mon embarras si soudain elle allait se prendre pour César Borgia ou sainte Elisabeth de Hongrie, ce qui est très déplacé même en petit comité. Elle voulait seulement dire qu'on était mercredi, ce qui était parfaitement incontestable. Son cas est très différent de celui de la Klopstock. Comme elle sort peu, elle tient absolument à ce que je cite un incident qui s'est déroulé à une garden-party donnée par les Beauwhistle, où elle a accidentellement donné un coup dans les tibias de Son Altesse je-ne-sais-qui avec son maillet de croquet, ce qui lui a valu de se faire injurier en allemand par l'Altesse en question. Ensuite, il a apparemment continué à parler de l'affaire Gordon-Bennett en français. (Je ne me souviens jamais s'il s'agit d'un nouveau modèle de sous-marin ou d'un divorce. Stupide de ma part.) Pour être tout à fait désagréable, j'ajouterai qu'elle semble l'avoir manqué de cinq bons centimètres — la nervosité, probablement — mais l'idée de l'avoir touché la ravit. Il m'est arrivé la même chose avec une perdrix : je m'imagine toujours qu'elle continue à voler de l'autre côté de la haie, comme si de rien n'était, par simple gloriole. Elle prétend pouvoir me dire tout ce qu'elle portait ce jour-là. Je lui ai répondu que je n'avais pas envie que mon livre ressemble à un carnet de blanchisseuse, mais elle prétend que ce n'est pas ce qu'elle voulait dire.

Et puis il y a le petit Chilworth. Il est tout à fait charmant tant qu'il se contente d'être idiot et de mettre ce qu'on lui dit. Mais il lui prend parfois l'envie de faire dans l'épigramme : on a alors l'impression de voir une corneille essayant de bâtir un nid dans la tempête. Depuis qu'il a entendu parler de ce livre, il me persécute pour que j'y mette quelque chose qu'il a écrit sur les Russes et le front du Yalou, et il ne cesse de bouder depuis que j'ai refusé.

Bref, je crois que ce serait une brillante idée si vous suggériez que nous allions passer une quinzaine à Paris.

(Titre original : *The Innocence of Reginald*)

REGINALD EN RUSSIE

Reginald était assis dans un coin du salon de la princesse et il s'efforçait de lui pardonner le mobilier, qui faisait de son mieux pour sembler Louis XV, sans toutefois éviter de tomber complètement dans le Guillaume II.

Quant à la princesse, il l'aurait volontiers classée dans le genre de ces femmes que l'on voit aller nourrir les poules sous une pluie battante.

Elle s'appelait Olga. Elle gardait près d'elle une créature qu'elle considérait avec obstination comme un fox-terrier, et elle affichait des opinions qu'elle prétendait socialistes. Quand on est princesse russe, il n'est pas nécessaire de s'appeler Olga. D'ailleurs, Reginald en connaissait un certain nombre qui répondaient tout bonnement au nom de Vera. Mais le fox-terrier et le socialisme sont, eux, indispensables.

— La comtesse Lomshen, elle, elle a un bull-dog, annonça la princesse, de but en blanc. En Angleterre, est-ce que c'est plus chic d'avoir un bull-dog ou un fox-terrier ?

Reginald passa mentalement en revue les modes canines de ces dix dernières années, et donna une réponse évasive.

— Vous la trouvez jolie, la comtesse Lomshen ? ajouta la princesse.

Reginald trouvait que le teint de la comtesse supposait un régime uniquement composé de macarons et de xérès. C'est ce qu'il dit.

— Impossible, s'exclama triomphalement la princesse. Je l'ai vue manger de la soupe de poisson au *Donon's*.

La princesse était toujours prête à défendre le teint d'une amie si ce dernier était vraiment épouvantable. Elle ne manifestait de sympathie qu'à partir d'un certain degré de laideur, et s'en tenait là.

Laissant là sa théorie sur les macarons et le xérès, Reginald s'intéressa aux miniatures.

— Celle-ci ? demanda la princesse. C'est la vieille princesse Lorikoff. Elle habitait la Millionaya près du Palais d'Hiver. C'était une dame de la Cour dans le style de la vieille Russie. Sa connaissance des gens et des événements était fort limitée, mais elle se montrait extrêmement condescendante à l'égard de tous ceux qui l'approchaient. On racontait que lorsqu'elle mourut et quitta définitivement la Millionaya pour le Ciel, elle s'adressa ainsi à saint Pierre, dans ce français haché qui était le sien : « Je suis la princesse Lor-i-koff. Il me donne grand plaisir à faire votre connaissance. Je vous en prie me présenter au Bon Dieu. » Saint Pierre fit donc les présentations, et la princesse s'adressa en ces termes au Bon Dieu : « Je suis la princesse Lor-i-koff. Il me donne grand plaisir à faire votre connaissance. On a souvent parlé de vous à l'église de la rue Million. »

— Il n'y a que les personnes âgées et le clergé des Églises officielles à savoir se montrer irrévérencieux avec élégance, ajouta Reginald. Cela me rappelle cette anecdote. Je me trouvais dans l'église anglicane d'une capitale étrangère dont je tairai le nom. C'était un jeune vicaire qui faisait le sermon. Il y parlait des déshérités, et à la fin d'un passage, qui ne manquait d'ailleurs pas d'éloquence, il s'exclama : « Et ne pouvons-nous pas dire que les larmes des affligés leur seront un précieux atout dans l'autre monde ? » L'autre vicaire qui, par simple jalousie, prétendait somnoler, se réveille soudain pour demander : « Alors, je joue carreau ? » Le curé n'arrangea pas les choses en ajoutant d'un air rêveur : « Évidemment. » Tous les yeux se fixèrent sur notre prédicateur, qui se contenta de marquer les points qu'il put dans ces lamentables circonstances.

— Vous êtes si futiles, vous autres Anglais, dit la princesse. En Russie, nous avons trop de soucis pour nous permettre d'être aussi légers.

Reginald eut un petit frisson, comme un lévrier italien sentant venir une nouvelle ère glaciaire parfaitement inacceptable, et il s'installa plus confortablement dans l'attente d'une discussion politique qui n'allait pas tarder.

— Tout ce qu'on dit en Angleterre à notre sujet est faux, dit la princesse, ce qui promettait.

— Quant à moi, fit remarquer Reginald, quand j'étais à l'école j'ai toujours absolument refusé d'apprendre la géographie de la Russie, parce que j'étais sûr que plusieurs noms devaient être faux.

— Tout est faux dans notre système de gouvernement, ajouta la princesse d'un ton tranquille. Les bureaucrates ne pensent qu'à leur porte-monnaie, le peuple est exploité et dépouillé de toutes les façons, enfin la gestion est épouvantable.

— Chez nous, dit Reginald, on prétend généralement que le Cabinet est complètement pourri, dans des proportions qu'on n'imaginerait pas, au bout d'environ quatre ans de fonctionnement.

— Si c'est un mauvais gouvernement, vous pouvez toujours le renverser aux élections.

— C'est généralement ce que nous faisons, si je me souviens bien.

— Ici, c'est épouvantable, tout va à de telles extrémités.

— Nous, nous allons à l'Albert Hall.

— Chez nous, c'est constamment la balançoire entre la répression et la violence. Et puis le malheur, c'est qu'en fait les gens d'ici sont parfaitement pacifiques. Nulle part vous ne trouveriez population plus accommodante, familles plus unies.

— Je suis tout à fait de votre avis, dit Reginald. Tenez, je connais quelqu'un qui habite quai de France : il correspond parfaitement à votre définition. Ses cheveux bouclent naturellement, surtout le dimanche, et c'est un excellent joueur de bridge, même pour un Russe, ce qui n'est pas peu dire. C'est tout ce qu'on peut dire de lui, sauf qu'il adore sa famille. Ainsi, quand sa grand-mère maternelle est morte, il n'a tout de même pas abandonné le bridge, mais il a promis pendant trois mois de ne jouer que les noires. Noble pensée, non ?

La princesse ne sembla pas particulièrement impressionnée.

— Vous vivez trop pour vos plaisirs, dit-elle. Les distractions, les cartes et la dissipation ne conduisent qu'au vide et à l'ennui. Vous vous en apercevrez un jour.

— Oh oui, je sais bien, cela arrive, admit Reginald. Mais ce qui pétille et que l'on interdit, c'est souvent le plus doux.

Ce qui ne toucha guère la princesse car, de toute façon, en champagne, elle préférait le demi-sec.

— J'espère que vous reviendrez me voir, dit-elle sur un ton qui cependant n'encourageait guère la familiarité — vous devriez venir passer quelque temps dans notre campagne.

La campagne en question se trouvait à quelques centaines de verstes au sud de Tambov, qu'une trentaine d'autres, en proie à diverses formes de révolutions agraires, séparait du plus proche voisin. Et Reginald sentit qu'il y avait là une retraite qui, pour lui, resterait sacrée.

(Titre original : *Reginald in Russia*)

LES SILENCES DE LADY ANNE

Egbert entra dans le grand salon faiblement éclairé. Il présentait l'expression inquiète d'un homme qui se demande s'il s'agit d'un colombier ou d'une manufacture de bombes et qui est prêt à toute éventualité. La petite brouille du déjeuner était restée inachevée, et le problème était de savoir si Lady Anne était d'humeur à reprendre les hostilités ou à y renoncer. Installée dans le fauteuil à côté de la table à thé, elle se tenait raide avec une certaine affectation ; dans la pénombre de cet après-midi de décembre, le pince-nez de Egbert ne lui permettait pas vraiment de distinguer l'expression de son visage.

Pour rompre la glace qui flottait peut-être à la surface entre eux, il fit remarquer que ce demi-jour avait quelque chose de religieux. C'était généralement ce que Lady Anne ou lui-même disaient entre quatre heures et demie et six heures, en hiver ou vers la fin de l'automne. Cela faisait partie de leur vie conjugale et ne supposait pas forcément de réponse. D'ailleurs Lady Anne n'en fit aucune.

Don Tarquinio était allongé sur le tapis persan devant la cheminée et il se chauffait, manifestant une superbe indifférence à l'éventuelle mauvaise humeur de Lady Anne. Il possédait un pedigree aussi irréprochablement persan que celui du tapis, et sa fourrure serait bientôt dans toute la gloire de son deuxième hiver. Le valet de pied, qui avait du goût pour la Renaissance, l'avait baptisé Don Tarquinio. Quant à Egbert et à Lady Anne, si on les avait laissés à eux-mêmes, ils l'auraient aussi bien appelé Fluff, mais ils n'avaient pas insisté.

Egbert se versa une tasse de thé. Comme Lady Anne ne semblait pas vouloir rompre le silence, il fit un prodigieux effort.

— Ma remarque pendant le déjeuner était pure-ment académique, commença-t-il, et à mon avis vous lui donnez un sens personnel parfaitement exagéré.

Lady Anne garda un silence hostile. Le bouvreuil se mit à siffler, pour meubler le vide, un air d'*Iphigé-nie en Tauride*. Egbert reconnut immédiatement le morceau, car c'était le seul que sût le bouvreuil, et c'est à cause de cette réputation qu'il l'avait acheté. Egbert et Lady Anne auraient préféré quelque chose dans le genre de *The Yeoman of the Guard* — Le Hallebardier de la Garde — car c'était leur opéra favori. Ils avaient en matière d'art des goûts sembla-bles. Ils aimaient la clarté, la simplicité, les tableaux qui racontaient une histoire, avec un titre circonstan-cié. Un destrier sans cavalier, la selle de travers, avançant titubant dans la cour d'un château fort, au milieu de femmes toutes pâles et se tordant les mains en défaillant, avec en guise de titre *La Mauvaise Nouvelle,* voilà qui suggérait immédiatement à leur esprit quelque catastrophe de caractère militaire. Ayant ainsi compris tout de suite ce qu'on avait voulu leur dire, ils ne manquaient pas de l'expliquer à des amis moins brillants qu'eux.

Le silence se prolongeait. Généralement, quand Lady Anne n'était pas contente, cela prenait un caractère extrêmement volubile, après un silence lourd de sens et qui durait environ quatre minutes. Egbert prit le pot à lait et en versa un peu dans la soucoupe de Don Tarquinio ; comme celle-ci était pleine, elle déborda sur le tapis. Don Tarquinio observait la scène avec une certaine surprise. Mais quand Egbert l'appela pour lui faire boire le lait renversé, Don Tarquinio montra immédiatement la plus profonde indifférence : il était prêt à jouer toutes sortes de rôles dans la vie, mais certainement pas celui d'aspirateur.

— Nous avons été stupides, ne croyez-vous pas ? dit Egbert avec bonne humeur.

Même si Lady Anne était de cet avis, elle n'en dit rien.

— J'admets que c'était en partie de ma faute, poursuivit Egbert, dont la bonne humeur commençait à s'évanouir. Après tout, je suis simplement humain, et c'est ce que vous semblez oublier parfois.

Il insista là-dessus, comme si quelqu'un avait prétendu autrefois qu'il était autre chose, par exemple une espèce de satyre qui, là où il cessait d'être humain, se terminait en forme de bouc.

Le bouvreuil recommença son air d'*Iphigénie en Tauride*. Un grand abattement envahit Egbert. Lady Anne n'avait pas touché à sa tasse de thé. Peut-être ne se sentait-elle pas bien. Mais dans ce cas-là, Lady Anne n'était guère le genre à dissimuler. « Personne, répétait-elle volontiers, ne peut savoir comme je souffre de cette mauvaise digestion. » Ce qui laisse à penser que les gens l'écoutaient mal. Car rien qu'avec ses commentaires sur les différents symptômes, on aurait pu écrire une monographie sur le sujet.

Donc Lady Anne n'éprouvait en ce moment aucun malaise, c'était l'évidence même.

Egbert commençait à trouver que Lady Anne le traitait avec une injustifiable cruauté. Il adopta naturellement une attitude conciliante.

— Bien sûr, dit-il en se plantant au milieu du tapis après avoir décidé Don Tarquinio à lui céder la place, j'ai peut-être eu tort, et je suis prêt, si je puis ainsi rendre notre existence plus heureuse, à changer d'attitude.

Tout en disant cela, il se demandait vaguement comment cela serait possible. Maintenant qu'il était entre deux âges, il se trouvait en proie à des tentations qui lui venaient tout naturellement, comme à un garçon boucher qui aurait eu envie d'une gratification en février pour la simple raison qu'on avait oublié de lui en accorder une en décembre. Mais il n'avait pas plus l'intention d'y succomber qu'il n'avait envie d'acheter les couverts à poisson ou les boas de fourrure que des dames semblent contraintes de sacrifier douze mois par an par l'entremise des petites annonces. Il y avait cependant quelque chose d'impressionnant dans ce renoncement volontaire à toutes sortes d'horreurs en puissance.

Eh bien, Lady Anne n'en fut pas impressionnée le moins du monde.

Egbert la dévisagea à travers son pince-nez. Avoir le dessous dans une discussion, il en avait l'habitude. Dans un monologue, c'était nouveau, et assez humiliant.

— Bon, je vais aller me changer pour le dîner, annonça-t-il, d'une voix où il aurait voulu qu'on sentît de la sévérité.

A la porte, il eut un nouvel accès de faiblesse, et il fit une dernière tentative :

— Ne sommes-nous pas vraiment stupides ?

— Complètement, se dit Don Tarquinio tandis qu'Egbert refermait la porte sur sa défaite.

Et là-dessus il sauta légèrement sur un rayon de la bibliothèque pour se retrouver juste sous la cage du bouvreuil. On aurait dit que c'était la première fois qu'il remarquait l'existence de cet oiseau. Il s'agissait en fait de l'exécution d'un plan longuement élaboré. Le bouvreuil, qui avait cru jusque-là détenir une sorte de pouvoir despotique, se ratatina soudain pour ne plus occuper que le tiers de son volume habituel, avant de n'être plus qu'une pauvre petite chose palpitante piaulant désespérément. Il avait coûté vingt-sept shillings sans la cage, mais Lady Anne ne fit rien pour le sauver. Il y avait deux heures qu'elle était morte.

(Titre original : *The Reticence of Lady Anne*)

LA VENDETTA DE TOAD-WATER

Les Crick habitaient Toad-Water, et c'est dans ces mêmes collines solitaires que le destin avait fixé la demeure des Saunders. A des lieues à la ronde, on ne trouvait ni voisins, ni cheminées, ni cimetières susceptibles d'apporter la chaleur d'une communauté humaine. Rien que des champs, des boqueteaux, des granges, des sentiers et des terres en friche. Voilà ce qu'était Toad-Water. Et cependant, Toad-Water a son histoire.

On aurait pu croire qu'ainsi projetés au beau milieu de cette contrée rustique reculée, ces deux rameaux de la grande famille humaine se rapproche-raient dans une communion due aux circonstances et à un isolement semblable. D'ailleurs, peut-être en avait-il été ainsi jadis, mais le monde est ainsi fait que les choses avaient bien changé. Le destin, qui avait ainsi rapproché ces deux familles jusqu'à les rendre mitoyennes, avait voulu que les Crick se consacras-sent en particulier à l'élevage de différentes volailles, alors que les Saunders manifestaient une inclination certaine pour le jardinage. Les éléments d'une tragé-die étaient ainsi réunis. Car l'inimitié entre l'amateur de végétaux et l'éleveur n'est pas chose nouvelle. N'en trouve-t-on pas trace au chapitre IV de la Genèse ? Et c'est ainsi que par un bel après-midi d'été la querelle éclata, comme cela arrive généralement, sous un prétexte apparemment futile. Une poule appartenant aux Crick suivit les instincts nomades de son espèce et, lasse de gratter un espace légitime, s'envola au-dessus du mur bas qui partageait les deux domaines. Rendue là, consciente sans doute que son escapade ne durerait pas, le volatile égaré se mit à gratter des pattes et du bec, bouleversant le sol soigneusement ameubli pour le confort et la prospérité d'une plate-bande d'oignons nouveaux. Le terreau et les racines volaient, la poule étalant rapidement son champ d'investigations. Les oignons souffrirent pas mal. Mrs. Saunders, qui parcourait justement l'allée de son jardin en se lamentant sur le fait que les mauvaises herbes prospéraient plus vite que son mari et elle ne parvenaient à les arracher, s'arrêta net devant ce spectacle d'un malheur infiniment plus considérable. En un moment aussi dramatique, elle se tourna instinctivement vers notre mère la terre pour y chercher une consolation, et elle se saisit de deux lourdes mottes brunes qui se trouvaient à ses pieds. Avec une énergie désespérée, et une précision très médiocre, elle prit sous le feu de sa salve notre maraudeuse, chez qui cela provoqua un flot de protestations caquetantes et une belle panique, qui se termina par une fuite éperdue. Le calme dans la tempête n'est un attribut ni des femmes ni des poules. Tandis que Mrs. Saunders se lamentait sur la ruine de son carré d'oignons, en utilisant les termes familiers du dictionnaire permis à une conscience demeurée religieuse, notre volaille émule de Vasco de Gama faisait retentir les échos de Toad-Water des accents crescendo d'une musique gutturale ; impossible de rester insensible à ses malheurs. Quant à Mrs. Crick, sa bruyante maisonnée l'avait habituée au maniement d'un langage coloré, et quand un représentant de sa marmaille lui apprit, avec toute l'autorité du témoignage visuel, que la voisine n'avait pas hésité à lapider la poule, la plus belle, la meilleure pondeuse du pays, elle exprima sa colère en des termes « peu convenables dans la bouche d'une chrétienne » — à en croire Mrs. Saunders, à qui la plus grande partie de ce discours s'adressait. Mrs. Crick, de son côté, en laissant ses poules vagabonder dans le jardin des autres avant de les injurier, confirmait bien ce que l'on savait d'elle. Ce qui ne l'empêcha pas de rappeler certains épisodes obscurs du passé de Susan Saunders et qui n'ajoutaient guère à sa réputation. On visita ainsi par le menu le temple de Mnémosyne, et dans la lumière pâlissante de cet après-midi d'avril, ces dames, chacune d'un côté du mur, se jetèrent au visage, tremblantes de colère, les diverses infamies dont leur famille respective s'était rendue coupable. Il y avait cette tante de Mrs. Crick qui était morte indigente à l'hospice d'Exeter — tandis qu'il était de notoriété publique que l'oncle maternel de Mrs. Saunders était mort alcoolique —, et ce cousin de Mrs. Crick qui avait vécu à Bristol, donc ! Au cri de triomphe qui salua son nom, on aurait pu croire qu'il avait au moins pillé la cathédrale, mais comme les deux commères braillaient de concert, on devait mal distinguer ses crimes de ceux qui assombrissaient à jamais la mémoire de la belle-mère du frère de Mrs. Saunders — peut-être une régicide, et en tout cas une fort mauvaise femme, à en croire le portrait que peignit Mrs. Crick. Là-dessus, les adversaires s'accusèrent mutuellement d'être des personnes fort malhonnêtes — puis elles se retirèrent dignement dans un profond silence, avec le sentiment qu'il n'y avait décidément plus rien à ajouter. Les pinsons chantaient gaiement dans les pommiers, les abeilles bourdonnaient dans l'épine-vinette, le soleil déclinant baignait agréablement les jardins, cependant un mur de haine s'élevait désormais irrévocablement entre les deux maisons.

Inévitablement, les hommes furent entraînés dans cette querelle, et on interdit aux enfants des deux camps de jouer avec la détestable progéniture adverse. Comme chaque jour ils devaient faire une bonne lieue sur la même route pour se rendre à l'école, cela ne laissait pas d'être incommode, mais qu'y faire ? Toute communication fut ainsi interrompue, sauf pour les chats apparemment. Au grand déplaisir de Mrs. Saunders, la rumeur publique voulut que le matou des Crick fût le père d'une portée de chatons dont la chatte des Saunders était indiscutablement la mère. Mrs. Saunders noya incontinent les petits, mais le déshonneur ne s'effaça pas.

L'été succéda au printemps, puis l'hiver à l'été, la querelle survivait aux saisons. Cependant, il sembla bien une fois que l'influence bienfaisante de la religion allait rendre Toad-Water à sa paix traditionnelle. Les deux familles ennemies se retrouvèrent côte à côte au goûter qui clôturait habituellement le pèlerinage annuel. Aux hymnes exaltants succédaient les effluves des feuilles de thé dans l'eau chaude, les effets apaisants du breuvage ne tarderaient pas à se faire sentir, assistés en cela par de solides tranches de brioche à l'ancienne. Et dans cette atmosphère doucement recueillie, Mrs. Saunders alla jusqu'à faire remarquer à Mrs. Crick, tout en restant sur ses gardes, que la soirée était vraiment belle. Mrs. Crick, sous l'influence d'une demi-douzaine de tasses de thé au lait et de presque autant d'hymnes, s'aventura à espérer tout haut que cela durerait. C'est alors que le père Saunders fit maladroitement allusion au retard que connaissaient les jardins : aussitôt la vendetta reprit de plus belle. Mrs. Saunders se joignit de bon cœur à l'hymne final, qui parlait de paix, de joie, d'archanges dorés et de gloire éternelle, mais elle songeait à cette tante d'Exeter morte dans la misère.

Les années ont passé, certains des acteurs du drame ne sont plus que poussière ; d'autres oignons ont grandi, se sont épanouis, ont terminé leur sort, la poule coupable a depuis bien longtemps expié ses forfaits : elle a fini liée par les pattes, avec une expression de paix ineffable, sous la voûte de la halle de Barnstaple. Mais la vendetta de Toad-Water dure toujours.

(Titre original : *The Blood-Fend of Toad-Water*)

UNE CATASTROPHE POUR UN JEUNE-TURC

en deux scènes

Le ministre des Beaux-Arts — on venait d'ajouter à son département une nouvelle section de Mécanique électorale — demanda une audience au Grand Vizir. L'étiquette orientale voulait qu'on s'entretînt d'abord de sujets sans importance. Le ministre faillit bien parler de Marathon, ce qui aurait été la preuve d'un grand manque de tact, car le Vizir avait une grand-mère persane et aurait pu voir là une allusion déplacée. Le ministre demanda soudain :

— Et avec cette nouvelle constitution, les femmes vont-elles voter ?

— Les femmes ? Voter ? s'exclama le Grand Vizir stupéfait. Mais mon cher Pacha, la Nouvelle Politique est suffisamment absurde comme cela, n'achevons pas de la ridiculiser. Les femmes ne possédant ni âme ni intelligence, pourquoi diable voteraient-elles ?

— Je sais que cela semble absurde, répondit le ministre, mais en Occident, on envisage sérieusement la question.

— Eh bien, ils doivent avoir du sérieux de reste. J'ai passé ma vie à essayer de conserver mon sérieux, mais je ne puis m'empêcher de sourire à cette suggestion. Allons, la plupart de nos femmes ne savent ni lire ni écrire, comment pourraient-elles voter ?

— On leur indiquerait le nom des candidats et là où il faut faire une croix.

— Une quoi ? s'exclama le Grand Vizir.

— Je veux dire un croissant. Cela plairait assez au parti des Jeunes-Turcs.

— Bah, après tout, conclut le Grand Vizir, cochon (il avait malgré lui prononcé le nom de l'animal impur), chameau qui s'en dédit, allons jusqu'au bout, et donnons-leur ce droit de vote. Je fais le nécessaire.

Les élections touchaient à leur fin dans la circonscription de Lakoumistan. On savait que le candidat du parti des Jeunes-Turcs avait déjà trois ou quatre cents voix d'avance, et il était déjà en train de rédiger son discours de remerciements à ses électeurs. Sa victoire avait semblé inévitable, car il avait déployé tout le mécanisme électoral de l'Occident. On avait même utilisé des voitures automobiles. Ses partisans avaient peu employé ces véhicules pour se rendre aux bureaux de vote, mais grâce à l'intelligence des chauffeurs, un grand nombre de ses adversaires s'étaient retrouvés au cimetière, à l'hôpital ou dans l'incapacité de voter pour d'autres raisons. C'est alors que se produisit quelque chose d'inattendu. L'autre candidat, Ali-le-Bienheureux, arriva avec ses femmes et tout son harem. Il devait bien y en avoir six cents. Ali n'avait pas perdu son temps en grands discours, il s'était contenté de laisser entendre à ces dames que chaque bulletin pour son adversaire signifierait un sac de plus jeté dans le Bosphore. Le candidat pour les Jeunes-Turcs — s'en tenant à la mode occidentale, il n'avait qu'une femme et pratiquement pas de maîtresses — demeura là, écrasé sous le poids de son destin, en apprenant le triomphe final de son adversaire.

— Par Christophe Colomb ! s'exclama-t-il, se trompant vaguement de pionnier en la matière, qui aurait songé à cela ?

— Bizarre, murmura Ali d'un air rêveur, qu'un partisan aussi convaincu du vote secret n'ait pas songé au vote voilé.

Et tout en regagnant sa demeure accompagné de ses électrices, il improvisa sur le ton du poète persan :

> Comptant sur sa langue acérée
> Comme un poignard de Kaboul
> Il pense faire triompher sa cause
> Et le voilà battu — par moi
> Qui ne possède que ces femmes.

(Titre original : *A Young Turkish Catastroph*)

JUDKIN ET SES PAQUETS

Une silhouette indistincte en costume de tweed, chargée de paquets emballés dans du papier kraft. Voici ce que nous avons soudain rencontré, au détour d'un sentier boueux du Dorsetshire. Et notre jument rouanne s'arrêta pile et fit comme une révérence. Cette jument est très craintive sur la route, avec des passages flegmatiques. Impossible de savoir si elle va passer ou non. Elle répond au nom de Redford. C'était ma première rencontre avec Judkin. La deuxième fois, ce fut dans les mêmes circonstances, le même sentier boueux, la même silhouette discrète en tweed, les mêmes paquets — ou des paquets tout pareils. Mais cette fois-ci, la jument ne détourna même pas les yeux.

Est-ce moi qui ai interrogé le groom, ou bien a-t-il parlé de lui-même, je l'ai oublié ; mais j'ai fini par reconstituer l'existence de ce promeneur rustique. Elle ne doit pas être très différente de celle de tous ces cavaliers d'élite dans des régiments fameux où l'on avait remarqué leur talent. Des hommes qui ont respiré à pleins poumons toutes les merveilles de l'Orient, qui ont traversé la vie comme le galop d'un bal. Peut-être ont-ils tenté leur chance pour la Coupe du Vice-Roi, et participé à de folles chevauchées autour du golfe d'Aden. Puis le filon d'or s'est épuisé, le soleil a soudain cessé d'illuminer le monde. Les dieux avaient décidé que la fête était finie. Et on les a retrouvés dans des chemins boueux en route vers de modestes villas où les attendaient les ennuis de la vie à regarder les poiriers pousser et à attendre que les poules pondent. Et Judkin est devenu comme les autres. La coupe de la vie s'était renversée, et il était resté là à en sucer la lie, que les sages rejettent. Au temps de sa splendeur, il aurait dédaigné les prétentions à l'élégance de la jument rouanne, comme il aurait remis le bouchon sur un médiocre bordeaux, ou laissé une femme quelconque derrière sa voilette baissée. Et maintenant il cheminait stoïque dans la boue, dans son costume de tweed qui finirait sans doute sur le dos du gamin des jardiniers et lui irait peut-être. Et les dieux, qui connaissent la fin de toute chose, devaient faire grandir quelque part un enfant de jardinier qui porterait un jour ces vêtements dont Judkin n'était que le gardien. Voilà ce que je me dis, mais je me trompe probablement. Et Judkin, pour qui la toilette avait été jadis plus qu'une religion, à peine moins sacrée qu'une querelle de famille, rapportait ses paquets jusqu'à sa villa où sa femme les attendait et lui avec — une femme qui avait peut-être été jolie et à qui il restait un cœur d'or — de l'or à neuf carats, mettons — et une âme médiocre. Et il raconterait ses marchandages, et s'il avait rapporté la qualité de sucre ou le fil qu'il ne fallait pas, il tenterait de se faire pardonner et de chasser la mauvaise humeur de ce visage morose, comme la pâtissière chasse les mouches qui viennent se poser sur un gâteau rassis. Et c'est ce même homme qui jadis a su dresser un pur-sang, le flatter, faire danser devant lui la bête en sueur dans toute la gloire de ses muscles. Il a visité les contrées les plus lointaines, il a parcouru les déserts et entendu le feulement des grands fauves, il a vu leurs yeux refléter les étoiles, et le voilà occupé à faire éclore

251

des œufs dans une couveuse. Je trouve cela épouvantable, et pourtant, quand je l'ai rencontré dans ce chemin, son visage avait une expression plutôt gaie, on aurait pu y lire un bonheur tiède. Et si Judkin avec ses paquets avait enfin trouvé dans la lie de la coupe ce qui lui avait échappé alors qu'il sillonnait les mers ? Et s'il y avait davantage de sagesse dans cette déchéance que dans la folie des sages ? Les dieux seuls le savent.

J'ai dû revoir Judkin deux ou trois fois, et toujours dans ce sentier. Mais un jour que la jument m'emmenait à la gare, par un temps lourd et nuageux, je suis passé devant une assez médiocre villa. Le groom, machinalement, m'a dit que c'était là qu'habitait Judkin. Derrière une haie de sureaux, on entendait le bruit sourd d'une bêche, dont le fer sonnait de temps en temps sur une pierre que l'on jetait alors sur un tas. C'était mon Judkin, en train de faire je ne sais quoi d'abominable aux racines d'un poirier. Il devait avoir, pas loin de lui dans le potager, une de ces grosses courges tardives, qui fournirait à table un excellent sujet de conversation. Faudrait-il l'envoyer au concours agricole — la moisson ayant été médiocre, n'était-il pas injuste de laisser aux fermiers tout le soin de la fête ?

Et tandis que le train m'emporterait vers Londres, Judkin, sa courge sous le bras et un panier de dahlias à la main, marcherait lentement vers le presbytère. Prière de rapporter le panier.

(Titre original : *Judkin of the parcels*)

LE SAINT ET LE LUTIN

Le petit saint de pierre habitait une niche reculée dans un bas-côté de l'antique cathédrale. Personne ne savait plus trop ce qu'il avait été, mais d'après le lutin, c'était un gage de respectabilité. Ce lutin constituait un excellent exemple de sculpture grotesque. Il habitait le corbeau sur le mur en face de la niche du petit saint. Il appartenait à une respectable famille largement représentée dans la cathédrale, et où l'on retrouvait les bizarres personnages des stalles du chœur, des miséricordes, sans oublier les gargouilles qui tout là-haut décoraient le toit. Toutes les créatures fantastiques, hommes, bêtes, nabots, en bois ou en pierre, qui s'étalaient ou se tortillaient sous les voûtes ou tout au fond de la crypte étaient de ses parents ; ce qui, dans ce petit peuple de la cathédrale, faisait de lui un personnage d'importance.

Le petit saint de pierre et le lutin s'entendaient fort bien, mais ils avaient bien entendu sur le monde des points de vue fort différents. Le saint était un philanthrope à l'ancienne mode : c'est-à-dire qu'il considérait que le monde était bon tel qu'il était, mais qu'on pouvait encore l'améliorer. En particulier, il éprouvait une grande pitié pour les souris d'église, à cause de leur profonde misère. Le lutin,

quant à lui, pensait que le monde était fondamentale-
ment mauvais, mais qu'il valait mieux le laisser
comme il était. Et c'était le rôle des souris d'église
d'être misérables.

— N'empêche, répondait le saint, qu'elles me font
de la peine.

— Naturellement, s'exclamait le lutin, c'est votre
rôle. Et si brusquement ces souris cessaient d'être
misérables, vous perdriez votre raison d'être. Cela
deviendrait une sinécure.

Il aurait bien voulu que le saint lui demandât en
quoi consistait une sinécure, mais l'autre se cantonnait
dans un silence de pierre. Le lutin avait peut-être
raison, n'empêche que le saint aurait bien voulu faire
quelque chose pour ces pauvres souris, avant la venue
de l'hiver.

Il réfléchissait à cela, quand un bruit métallique à
ses pieds le fit sursauter. C'était un thaler d'argent
tout neuf qui venait de tomber entre ses pieds. Une
des corneilles de la cathédrale — elles adorent tout ce
qui brille — venait de le lâcher du haut de la corniche
en entendant se fermer violemment la porte de la
sacristie. Depuis l'invention de la poudre à canon, les
nerfs chez les corneilles ne sont plus ce qu'ils étaient.

— Qu'est-ce que c'est ? demanda le lutin.

— Un thaler d'argent, répondit le saint. Eh bien,
quelle chance inespérée : je vais enfin pouvoir faire
quelque chose pour ces pauvres souris d'église.

— Comment cela ? demanda le lutin.

Le saint se perdit dans ses réflexions.

— Je vais apparaître en une vision à la femme du
bedeau quand elle balaye la cathédrale. Je lui dirai
qu'elle trouvera un thaler d'argent entre mes pieds,
qu'elle doit le prendre et acheter avec une mesure de
blé qu'elle déposera sur mon autel. Et quand elle
trouvera la pièce, elle verra bien que c'est la vérité, et
elle ne manquera pas de suivre mes instructions, et les
souris auront de quoi manger tout l'hiver.

— Ah bien sûr, vous avez, vous, le pouvoir d'apparaître quand vous le souhaitez, fit remarquer le lutin. Moi, je ne peux apparaître aux gens que s'ils mangent au dîner quelque chose de lourd et qu'ils digèrent mal. Avec la femme du bedeau, je n'aurais guère de chances. Somme toute, être un saint présente ses avantages.

La pièce d'argent était toujours entre les pieds du saint. Elle était toute neuve et brillait d'un vif éclat, avec les armoiries de l'Électeur parfaitement frappées. Le saint se dit que de telles occasions étaient trop rares pour qu'on les gaspillât : et si une charité mal ordonnée allait faire le malheur des souris d'église ? C'était vrai, somme toute, le rôle des souris d'église était d'être misérables, d'ailleurs le lutin l'avait affirmé et il se trompait rarement.

— Je me demandais, reprit le saint, si finalement il ne vaudrait pas mieux que je demande qu'on allumât pour un thaler de cierges sur mon autel, au lieu d'acheter du blé.

Simplement pour la beauté de la chose, il avait souvent regretté que les fidèles n'allumassent jamais de cierges sur son autel, mais comme tout le monde avait oublié qui il était, on devait se dire que le jeu n'en valait pas la chandelle.

— Évidemment, des cierges, ce serait plus orthodoxe, fit remarquer le lutin.

— Plus orthodoxe certainement, et puis les souris pourraient manger le culot des cierges : les bouts de chandelles, c'est extrêmement nourrissant.

Le lutin était trop bien élevé pour lui faire un clin d'œil. De toute façon, comme il était en pierre, c'était hors de question.

— Ça par exemple, il est bien là ! s'exclama la femme du bedeau le lendemain matin.

Elle prit la pièce dans la niche et la tourna et la retourna entre ses doigts sales. Puis elle la porta à sa bouche et la mordit.

« Elle ne va tout de même pas la manger », se dit le saint, et il la regarda d'un œil de pierre.

— Eh bien, s'exclama la femme d'une voix plutôt perçante. Qui aurait dit ça ! Et un saint !

C'est alors qu'elle fit une chose incroyable. Elle dénicha un vieux bout de ficelle dans la poche de son tablier, elle le noua en croix autour de la pièce, elle fit une grande boucle, et elle la suspendit au cou du saint.

Puis elle s'en alla.

« Seule explication possible, se dit le lutin, la pièce doit être fausse. »

— Qu'est-ce que c'est que cette nouvelle décoration que porte notre voisin ? demanda le dragon accroupi sur le chapiteau du pilier d'à côté.

Le saint en fut très mortifié, mais comme lui aussi était en pierre, il n'en laissa rien paraître.

— C'est une monnaie — d'une immense valeur, expliqua le lutin.

Et la nouvelle se répandit dans la cathédrale que le petit saint de pierre venait de voir son autel enrichi d'une offrande d'un prix inestimable.

— Après tout, ce n'est pas inutile, l'amitié d'un lutin, conclut le saint.

Les souris d'église sont toujours aussi pauvres, mais n'est-ce pas leur rôle ?

(Titre original : *The Saint and the Goblin*)

LE STRATÈGE

Les goûters qu'offrait Mrs. Jallatt à la jeunesse étaient extrêmement fermés ; c'était ainsi beaucoup plus économique. Non que Mrs. Jallatt recherchât l'économie systématiquement, mais enfin elle l'obtenait de la sorte.

« Il y aura probablement une dizaine de filles », se dit Rollo tandis qu'on le conduisait à cette réception, « et quatre garçons, sauf si les Wrotsley amènent leur cousin, ce qu'à Dieu ne plaise. Jack et moi serions alors deux contre trois. »

Rollo et les jeunes Wrotsley se détestaient depuis le berceau. Ils ne se voyaient que de temps à autre pendant les vacances, et la rencontre se terminait généralement de façon dramatique pour le groupe qui, ce jour-là, comportait le moins de partisans. Rollo comptait bien sur la présence d'un ami fidèle particulièrement musclé pour rétablir l'équilibre, mais comme il arrivait, il entendit la sœur du champion s'excuser auprès de leur hôtesse : son frère n'avait pas pu venir. Et c'est alors qu'il remarqua la présence du cousin des Wrotsley.

Deux contre trois, ç'aurait pu être amusant et plein d'imprévu. Un contre trois, cela ressemblerait à une visite chez le dentiste. Rollo demanda qu'on revînt le chercher avec la voiture d'aussi bonne heure qu'il était décemment possible, puis il fit face à l'assem-

257

blée avec ce qui lui semblait être le sourire d'un aristocrate gravissant les marches de la guillotine.

— Ravi que vous ayez pu venir, dit l'aîné des Wrotsley avec jovialité.

— Eh bien, mes enfants, j'imagine que vous avez envie de jouer à quelque chose, dit Mrs. Jallatt, pour dégeler l'atmosphère, et comme ils étaient tous beaucoup trop bien élevés pour la contredire, il ne restait que le choix du jeu.

— Je connais un jeu très amusant, dit l'aîné des Wrotsley d'un air innocent. Les garçons sortent de la pièce et ils pensent à un mot. Ensuite ils reviennent et les filles doivent deviner ce que c'est.

Rollo connaissait ce jeu. C'est celui qu'il aurait suggéré s'il avait représenté la majorité.

— Ça ne va pas être très drôle, fit remarquer d'un air pincé et légèrement supérieur Dolores Sneep, tandis que les garçons sortaient.

Ce qui n'était pas l'avis de Rollo. Il espérait que les Wrotsley n'avaient dans leur arsenal que des mouchoirs noués.

Ceux qui devaient choisir un mot s'enfermèrent à clef dans la bibliothèque, pour s'assurer du secret de leurs délibérations. Décidément, la Providence était contre Rollo : sur un des rayons, il y avait un fouet à chien et une cravache. Quelle coupable négligence, se dit Rollo, de laisser ainsi traîner de telles armes de précision. Il choisit le fouet à chien, puis dans les minutes qui suivirent se reprocha de n'avoir pas choisi la cravache comme instrument de son supplice. Puis on retourna voir les demoiselles, qui les attendaient d'un air nonchalant.

— Le mot c'est *chameau,* annonça le cousin-la-gaffe.

— Idiot ! s'exclamèrent les filles, c'est nous qui devions découvrir le mot ! Il n'y a plus qu'à aller en chercher un autre.

— Sûrement pas, dit Rollo. Je veux dire, le mot,

ce n'était pas vraiment *chameau,* c'était pour rire. (Il n'y a qu'à dire que c'était *dromadaire,* murmura-t-il aux autres.)

— Je les ai entendus, je les ai entendus ! se mit à glapir l'odieuse Dolores. Ils disaient *dromadaire.* (« Ça ne m'étonne pas qu'elle entende tout, avec d'aussi grandes oreilles », se dit Rollo.)

— Eh bien, il va falloir y retourner, j'imagine, dit l'aîné des Wrotsley, d'un air résigné.

Le conclave se réunit une fois de plus dans la bibliothèque.

— Ah non, on ne va pas remettre ça avec ce fouet à chien, protesta Rollo.

— Certainement pas, mon petit ami, répondit l'aîné des Wrotsley, si nous essayions la cravache ? Comme ça, on verrait ce qui fait le plus mal ? Rien ne vaut l'expérience personnelle.

Rollo comprit rapidement qu'avec le fouet à chien, il avait fait le bon choix. Le conclave attendit qu'il fût remis de ses émotions, puis il fallut trouver un autre mot. *Mustang* ne ferait pas l'affaire : aucune fille n'aurait su ce que c'était. Finalement, on tomba d'accord sur *couagga.*

— Il faut venir vous asseoir ici, s'écria en chœur la commission d'enquête, lorsqu'ils revinrent.

Mais Rollo déclara que la personne interrogée devait rester debout. Enfin, à son vif soulagement, le jeu s'acheva et l'on annonça le goûter.

Sans rationner ses jeunes hôtes à proprement parler, Mrs. Jallatt veillait à ce qu'on ne pût reprendre de ce qu'il y avait de plus cher, aussi valait-il mieux prendre de ce qu'on voulait tant qu'il y en avait. Cette fois-ci, à « faire circuler » parmi ses quatorze jeunes invités, il y avait seize pêches. Mais comment aurait-elle pu prévoir que les deux Wrotsley et leur cousin, en prévision du long voyage de retour, avaient chacun mis une pêche de réserve dans leur poche. N'empêche, si l'on ose dire, que Dolores et Agnes Blaik — une bonne grosse — n'en eurent qu'une pour deux.

— Il n'y a qu'à la couper en deux, dit Dolores d'un ton revêche.

Mais Agnes était d'abord grosse et ensuite bonne : ainsi était régie son existence. Elle se confondit en excuses et dévora la pêche, expliquant que ce serait dommage de couper cette pêche en deux et qu'on en perdrait le jus.

— Eh bien, que voulez-vous faire maintenant ? demanda Mrs. Jallatt pour changer de sujet. J'avais engagé un prestidigitateur professionnel, mais il m'a fait faux bond au dernier moment. Quelqu'un pourrait-il nous réciter quelque chose ?

On vit un mouvement de panique. On savait qu'au moindre prétexte, Dolores ne manquerait pas de réciter *Locksley Hall,* et il y avait des fois où le premier vers, *Comrades, leave me here a little* — mes amis, laissez-moi un moment — pris au pied de la lettre, avait été le signal du départ pour une bonne partie de son auditoire. Aussi, ce fut avec un murmure de soulagement qu'on entendit Rollo déclarer qu'il pouvait faire quelques tours de magie. Il n'en avait jamais exécuté un seul de sa vie, mais ses deux visites à la bibliothèque l'avaient poussé à cette extrémité.

— Tout le monde a déjà vu des magiciens sortir des poches des spectateurs des pièces de monnaie ou des cartes à jouer, commença-t-il, mais je vais faire apparaître des choses plus intéressantes. Des souris, par exemple.

— Non, pas des souris ! s'exclama une partie de son auditoire.

— Des fruits, alors.

On trouva cela préférable. Agnes rayonnait.

Rollo se dirigea droit sur ses trois ennemis, plongea successivement la main dans leur poche de poitrine et en sortit à chaque fois une pêche. Personne n'applaudit, mais aucun applaudissement n'aurait pu lui procurer le même plaisir que le profond silence qui accompagna son numéro.

— Naturellement, nous étions complices, murmura le cousin Wrotsley d'un air penaud.

— Ben voyons, ajouta Rollo à part.

— S'ils avaient vraiment été de mèche, fit remarquer Dolores avec conviction, ils auraient juré le contraire.

— Et connaissez-vous d'autres tours ? demanda vivement Mrs. Jallatt.

Rollo n'en connaissait pas d'autre. Il proposa de changer les pêches en quelque chose d'autre, mais Agnes venait justement d'en transformer une en aliment pour petite fille, ce qui excluait toute possibilité dans ce domaine.

— Je connais bien un jeu, dit l'aîné des Wrotsley avec sa pesanteur habituelle. Les garçons vont dans une autre pièce, ils choisissent un personnage historique qu'ils reviennent interpréter, et les filles doivent deviner qui il est.

— Bon, je crains bien de devoir vous quitter, annonça Rollo à son hôtesse.

— Mais la voiture ne doit venir vous chercher que dans vingt minutes, dit Mrs. Jallatt.

— Il fait si beau ce soir que je vais marcher à sa rencontre.

En fait, une pluie fine tombait déjà depuis pas mal de temps.

— On peut donc parfaitement jouer à cette charade historique, acheva Mrs. Jallatt.

— Mais nous n'avons pas entendu la poésie de Dolores, lança Rollo au désespoir.

Il comprit immédiatement son erreur. A l'idée d'entendre *Locksley Hall,* tout le monde choisit la charade.

Rollo joua alors sa dernière carte. S'adressant apparemment aux Wrotsley, mais de façon à ce qu'Agnes l'entendît parfaitement, Rollo ajouta :

— Eh bien, c'est entendu, mais allons d'abord finir les chocolats que nous avons laissés dans la bibliothèque.

— Il me semble que c'est au tour des filles de sortir, s'exclama Agnes. Ce serait juste.

Elle tenait beaucoup à la justice.

— Mais non, dirent les autres petites filles. Nous sommes beaucoup trop nombreuses.

— Alors, allons-y à quatre. Moi, j'y vais.

Et Agnes courut vers la bibliothèque, suivie de trois autres demoiselles.

Rollo s'enfonça dans son fauteuil, avec un petit sourire à l'adresse des Wrotsley, découvrant juste un peu les dents. La loutre échappant aux chiens en plongeant dans son étang doit montrer ses sentiments un peu de cette façon-là.

Dans la bibliothèque, on entendait le bruit des meubles déplacés. Agnes retournait la pièce à la recherche de ces chocolats mythiques. Et c'est alors qu'on entendit ce bruit béni, des roues qui tournent sur le gravier mouillé.

— J'ai vraiment passé un après-midi très agréable, dit Rollo à son hôtesse en la remerciant.

(Titre original : *The Strategist*)

FEUX CROISÉS

Vanessa Pennington avait un mari pauvre, avec très peu de circonstances atténuantes. Elle possédait également un admirateur doué d'une fortune confortable, avec en plus un sens de l'honneur encombrant. Cette fortune séduisait assez Vanessa, mais le code des convenances avait imposé au galant de s'éloigner et de l'oublier, ou tout au moins de ne penser à elle que pendant les loisirs que lui laissaient ses multiples activités. Certes Alaric Clyde adorait Vanessa, et il était persuadé que c'était pour toujours, mais cela ne l'avait pas empêché de se laisser insidieusement séduire par une autre maîtresse plus attrayante : et alors qu'il s'imaginait simplement fuir le séjour des humains dans un exil qu'il s'imposait, son cœur avait été bel et bien captivé par l'appel des contrées lointaines. Contrées qu'il trouvait aimables, voire splendides. C'est ce qui se produit quand on est jeune, fort et sans entraves. Il n'y a qu'à voir cette multitude d'hommes jadis jeunes et libres et qui moisissent maintenant dans la médiocrité, après avoir un beau jour brisé l'esclavage de l'aventure pour reprendre les sentiers battus.

Clyde parcourait ainsi les déserts inaccessibles, il chassait, il rêvait, aussi élégant et dangereux qu'un dieu grec, suivi de ses chevaux, de ses domestiques, de ses bêtes de somme. Les villageois des contrées primitives, les nomades, l'accueillaient avec joie, hôte au pied léger chasseur de créatures agiles. Sur les bords brumeux des lacs de montagne, il chassait les oiseaux sauvages qui arrivaient de l'autre bout du monde. Plus loin que Boukhara, il regardait galoper les cavaliers aryens. Dans la pénombre des maisons de thé, il suivait les danses inconnues qu'on n'oublie pas. Ou bien encore, descendant la vallée du Tigre depuis les sommets enneigés, il se baignait dans ses eaux tumultueuses. Pendant ce temps-là, dans une petite rue de Bayswater, Vanessa faisait la liste hebdomadaire pour la blanchisseuse, elle courait les soldes et se risquait parfois, dans ses moments aventureux, à essayer de nouvelles recettes pour accommoder le merlan. Il lui arrivait aussi d'aller à des soirées de bridge quelconques, mais où l'on apprenait des quantités de choses passionnantes sur la vie privée des altesses royales ou impériales. Finalement, Vanessa était assez contente que Clyde eût choisi de faire ce qui était le plus convenable. Tout en elle la poussait à la respectabilité. Elle aurait cependant préféré être respectable dans un cadre plus élégant, où elle aurait donné le bon exemple avec plus d'éclat. Etre irréprochable était une chose, mais cela aurait été encore mieux si l'on avait été plus près de Hyde Park.

Puis soudain son goût de la respectabilité et le sens des convenances de Clyde disparurent avec les vieilles lunes. Ces notions avaient semblé essentielles en leur temps, mais la mort subite du mari de Vanessa leur ôta tout intérêt.

La nouvelle de ce changement suivit Clyde à petites étapes tout autour du monde, pour le rejoindre finalement sur la steppe d'Orenbourg. Il aurait éprouvé la plus grande difficulté à analyser ses sentiments sur le moment. Le destin, d'une façon inattendue qui sentait même vaguement son entremetteur, supprimait l'obstacle qui se trouvait sur son chemin. Je suis fou de joie, se dit-il machinalement, sans toutefois éprouver la sensation violente qui avait été la sienne quatre mois plus tôt, quand après toute une journée d'affût, il avait tué d'une seule balle un léopard des neiges. Naturellement, il rentra en Angleterre demander à Vanessa de l'épouser, mais cela à une condition : pour rien au monde il ne voulait renoncer à cette vie d'aventure qui était devenue sa seconde maîtresse. Simplement, il emmènerait Vanessa avec lui.

La dame accueillit le retour de son amant avec un soulagement encore plus vif que son départ. La mort de John Pennington laissait sa veuve dans une situation très difficile, et Hyde Park avait disparu même de son papier à lettres, où il s'était longtemps étalé comme un titre de complaisance, selon ce principe bien connu qui veut que les adresses sont faites pour dissimuler la vraie position des gens. Bien sûr, elle était plus indépendante que par le passé, et cela est très important aux yeux de nombreuses femmes, mais Vanessa n'en avait que faire. Elle accepta la demande de Clyde sans restriction, et annonça qu'elle était prête à le suivre au bout du monde. Le monde étant rond, elle se disait avec optimisme que le cours naturel des choses devait la ramener inévitablement un jour ou l'autre dans les environs de Hyde Park Corner, même si avant on l'avait traînée au diable vauvert.

Ce fut à l'est de Budapest que son optimisme commença à s'effilocher. Quand elle vit son mari traiter la mer Noire avec une familiarité qu'elle n'avait jamais éprouvée même pour la Manche, des doutes l'envahirent. Une femme d'un meilleur monde aurait trouvé ces aventures amusantes. Vanessa avait peur et se sentait plutôt mal à l'aise. Les insectes la piquaient, et elle était persuadée que seule leur indifférence empêchait les chameaux de la mordre. Clyde faisait de son mieux, et il était très doué pour cela, pour que les pique-niques dans le désert fussent de véritables festins, mais même lorsque la bouteille de Heidsieck refroidissait dans des glaces éternelles, elle ne parvenait pas à oublier que le sombre échanson qui la servait avec tant de style ne devait attendre qu'une occasion de leur couper la gorge. Que Clyde prétendît voir en Yussuf une fidélité inconnue chez les domestiques occidentaux n'y changeait rien. L'éducation de Vanessa lui avait appris que les gens à la peau sombre vous assassinent en toute simplicité, comme dans le quartier de Bayswater on va à sa leçon de chant.

Les heurts s'accumulaient, l'irritation montait. Ils n'avaient aucun intérêt en commun. Vanessa se moquait complètement des mœurs de la grouse des sables, des coutumes folkloriques des Tartares ou des Turcomans, des extrémités du poney cosaque. D'un autre côté, Clyde n'éprouvait aucun intérêt pour ce qui ravissait Vanessa : savoir que la reine d'Espagne détestait le mauve, ou que la duchesse de... adorait les olives ; on ne comptait probablement pas sur lui pour en apporter.

Bref, Vanessa commença à se demander si un revenu fixe compensait des dispositions errantes. Aller au bout du monde, c'était parfait. S'habituer à y vivre était une autre affaire. La respectabilité à laquelle elle était tant attachée semblait perdre beaucoup de sa valeur quand on la pratiquait sous la tente.

Lasse de cette perpétuelle errance qui marquait sa nouvelle existence, Vanessa ne dissimula pas sa joie de rencontrer une nouvelle forme de divertissement en la personne de Mr. Dobrinton. Ils étaient tombés dessus par hasard dans l'hôtellerie primitive d'une bourgade perdue au fin fond du Caucase. Dobrinton affichait un style très britannique, sans doute en hommage à sa mère, dont on prétendait qu'elle descendait d'une gouvernante anglaise qui avait séjourné à Lemberg au début du XVIIIe siècle. Si on l'avait appelé Dobrinski à l'improviste, il est vraisemblable qu'il aurait répondu à ce nom : disons que, la fin justifiant les moyens, il avait cru devoir légèrement angliciser le nom de sa famille. Par ailleurs, il n'offrait pas aux regards le spectacle d'un Apollon, mais Vanessa ne vit en lui qu'un lien susceptible de la rattacher à une forme de civilisation qui semblait ne plus intéresser Clyde le moins du monde. Et puis il savait chanter *Yip-I-Addy* et il parlait de plusieurs duchesses comme s'il les connaissait personnellement — et même, dans les moments d'inspiration, comme si elles, elles le connaissaient. Il signalait les faiblesses de la cuisine ou de la cave de plusieurs restaurants londoniens célèbres, forme de critique supérieure qui plongeait Vanessa dans une admiration respectueuse. Enfin, il lui témoignait de la compassion, d'abord discrètement, ensuite avec plus d'assurance, devant les habitudes nomades de Clyde. Des affaires dans les pétroles avaient amené Dobrinton dans la région de Bakou. La compagnie d'une femme qui l'écoutait avec tant de complaisance le poussa à retarder son voyage de retour pour accompagner ses nouveaux amis. Et tandis que Clyde marchandait avec des maquignons persans ou chassait le sanglier gris, ou encore complétait ses notes sur le gibier de plume en Asie centrale, Dobrinton et Vanessa discutaient les différents aspects de la respectabilité appliquée à la vie du désert. Leurs opinions semblaient plus proches de jour en jour. Si bien qu'un soir Clyde se retrouva seul à table avec une lettre de Vanessa. Il la lut entre les différents services. Vanessa tentait de se justifier en disant qu'elle voulait rentrer vers des régions plus civilisées en compagnie d'une personne qui partageait ses goûts.

Vanessa joua de malchance. Elle qui au fond de

son cœur était demeurée si soucieuse de respectabilité, le destin voulut que le soir même de sa fuite, elle
tombât en compagnie de son amant entre les mains
d'une bande de brigands kurdes. Se retrouver prisonnière dans un sordide village kurde, en compagnie
d'un monsieur qui n'était son mari que par adoption,
et voir l'Europe entière se passionner brusquement
pour vos aventures, c'était sans doute la catastrophe
la moins respectable qui pût arriver à une personne
convenable. Des complications internationales vinrent aggraver la chose. Le consul le plus proche avait
reçu ce télégramme : « Anglaise et son mari, de
nationalité étrangère, retenus prisonniers par brigands kurdes, qui exigent rançon. » Dobrinton était
anglais de cœur, mais le reste de sa personne
appartenait aux Habsbourg. Ces Habsbourg n'en
tiraient pas une grande vanité, et parmi la diversité
de leurs immenses possessions, celle-ci ne leur procu-
rait aucun plaisir particulier : ils l'auraient volontiers
échangée pour un oiseau intéressant ou un mammifère rare pour leur parc de Schönbrunn. Cependant,
le code international des convenances exigeait qu'on
manifestât pour sa disparition un intérêt poli. Mais
tandis que les ministères des Affaires étrangères des
deux pays s'employaient à obtenir la libération de
leurs deux sujets, voilà qu'un épouvantable contre-
temps se produisit. Clyde, lancé sur la piste des
fugitifs, mais sans désir particulier de jamais les
rejoindre — il se disait simplement que ce devait être
ce qu'on attendait de lui — tomba à son tour entre les
mains des mêmes brigands. La diplomatie souhaitait
faire de son mieux pour secourir une dame dans la
détresse, mais elle manifesta une certaine réticence
devant cette aggravation de la situation. Comme
devait le faire remarquer un de ces brillants jeunes
gens qui hantent Downing Street : « Nous serons
ravis de tirer de leur fâcheuse posture tous les maris
de Mrs. Dobrinton ; encore faudrait-il savoir com-

bien ils sont. » Pour une femme qui plaçait la respectabilité au-dessus de tout, ce n'était vraiment pas de chance.

D'un autre côté, la situation des captifs ne laissait pas d'être singulièrement embarrassante. Lorsque Clyde expliqua aux chefs des Kurdes la nature de ses relations avec le couple des fugitifs, ils lui manifestèrent une sympathie attristée. Ils écartèrent cependant toute idée de vengeance sommaire, car ils étaient persuadés que la cour des Habsbourg exigerait probablement qu'on leur remît Dobrinton vivant, et dans un état convenable. Ils proposèrent cependant à Clyde de l'autoriser à administrer à son rival, le lundi et le jeudi pendant une demi-heure, de solides raclées. A cette nouvelle, Dobrinton devint d'un joli vert, si bien que le chef de la tribu leva la sentence.

Et c'est ainsi que dans la promiscuité d'une hutte de montagne, ce trio bizarre vit lentement s'écouler les heures. Dobrinton avait bien trop la frousse pour parler, Vanessa était trop mortifiée pour seulement ouvrir la bouche, quant à Clyde, il boudait. Une fois, le petit négociant de Lemberg s'enhardit jusqu'à interpréter *Yip-I-Addy* d'une voix chevrotante, mais lorsqu'il en arriva au vers où l'on évoque les douceurs du foyer, Vanessa, ruisselante de larmes, le pria de bien vouloir s'arrêter. Et le silence régna, encore plus épais, sur les trois captifs si tragiquement rassemblés. Trois fois par jour, ils étaient bien obligés de se serrer les uns contre les autres autour du plat que leur geôlier leur apportait, comme ces bêtes du désert qui suspendent les hostilités quand elles se retrouvent à la source pour boire, puis chacun retournait monter la garde dans son coin.

On surveillait moins Clyde que les deux autres. « La jalousie le tiendra près de la femme », dit la sagesse kurde. Sagesse qui ignorait l'appel de l'aventure chez Clyde. Et un beau soir, constatant qu'on ne lui accordait pas l'attention qu'il semblait mériter,

Clyde leur faussa compagnie en se laissant glisser sur le flanc de la montagne. Il retourna ensuite à son étude du gibier à plume de l'Asie centrale. On surveilla les deux qui restaient avec une sévérité accrue, mais Dobrinton trouva que la disparition de Clyde valait bien ce prix.

Enfin, le bras puissant de la diplomatie — ou devrait-on dire sa bourse bien garnie — permit la libération des prisonniers. Les Habsbourg ne devaient cependant jamais récolter la récompense de leurs largesses. Sur le quai du petit port de la mer Noire où les deux rescapés prenaient à nouveau contact avec la civilisation, Dobrinton se fit mordre par un chien qu'il imagina enragé, alors qu'il manquait peut-être simplement de discernement. Cependant la victime, sans attendre la confirmation médicale, mourut incontinent de peur. Vanessa rentra seule en Angleterre, avec le sentiment d'avoir très vaguement amélioré la respectabilité de l'image qu'elle offrait. Clyde, pendant les loisirs que lui laissait la correction des épreuves de son ouvrage sur le gibier à plume en Asie centrale, entama une action en divorce. Ensuite il se hâta vers les solitudes agréables du désert de Gobi, où il souhaitait réunir les matériaux d'un livre sur la faune locale. Vanessa, souvenir peut-être de son intérêt ancien concernant les rites culinaires entourant la préparation du merlan, dénicha une place de cuisinière dans un club du West End. Ça n'était pas bien brillant, mais à deux minutes seulement de Hyde Park.

(Titre original : *Cross Currents*)

TREIZE A LA DOUZAINE

Personnages :
Le Major Richard Dumbarton
Mrs. Carewe
Mrs. Paly-Paget

(La scène se passe à bord d'un paquebot en route vers l'Orient. Le Major Dumbarton est allongé sur un transat. A côté de lui, un autre transat, avec le nom « Mrs. Carewe » écrit dessus. Ensuite, un troisième transat.

Mrs. Carewe entre, côté cour, elle s'installe dans son transat. Le Major fait semblant de ne pas l'avoir remarquée.)

Le Major (se tournant brusquement) : Emily ! Après toutes ces années. C'est le destin !

Emily : Le destin ! Balivernes ; ce n'est que moi. Vous autres hommes, vous croyez toujours à la fatalité. J'ai retardé mon départ de trois semaines pour me retrouver sur le même bateau que vous. J'ai soudoyé le steward pour qu'il mette nos transats l'un à côté de l'autre dans un coin tranquille, enfin je me suis donné toutes les peines du monde pour être particulièrement séduisante ce matin. Et là-dessus, vous arrivez pour dire : « C'est le destin. » Au fait, je suis particulièrement séduisante, n'est-ce pas ?

Le Major : Plus que jamais. Le temps n'a fait que mûrir vos charmes.

Emily : Je savais que vous alliez dire cela. En somme, le vocabulaire amoureux est extrêmement limité, vous ne trouvez pas ? Mais après tout, ce qui compte, c'est qu'on vous fasse la cour. Vous êtes bien en train de me faire la cour, n'est-ce pas ?

Le Major : Ma chère Emily, j'avais commencé à vous faire des avances, avant même que vous ne veniez vous asseoir ici. Moi aussi, j'ai soudoyé le steward pour qu'il mette nos transats l'un à côté de l'autre dans ce coin tranquille. « Vous pouvez considérer que c'est fait, monsieur », m'a-t-il répondu. C'était juste après le petit déjeuner.

Emily : C'est bien d'un homme : prendre d'abord son petit déjeuner. Moi, je me suis occupée de tout cela juste en quittant ma cabine.

Le Major : Soyez raisonnable : je n'ai découvert votre présence à bord qu'à l'heure du petit déjeuner. Et tout le temps que j'étais assis, j'ai consacré tous mes soins à une jeune écervelée, dans le seul but de vous rendre jalouse. Elle doit être maintenant dans sa cabine, en train d'écrire à mon sujet une lettre interminable à l'une de ses petites amies.

Emily : C'était inutile de vous donner tout ce mal pour me rendre jalouse, Dickie. Vous l'aviez déjà fait il y a des années, quand vous en avez épousé une autre.

Le Major : Vous étiez partie et vous vous étiez mariée avec un autre homme — et un veuf, par-dessus le marché.

Emily : Épouser un veuf n'a rien de vraiment répréhensible, j'imagine. Je suis d'ailleurs prête à recommencer, si j'en trouve un gentil.

Le Major : Écoutez, Emily, ce n'est pas juste, à la fin. Vous avez toujours une longueur d'avance sur moi. C'est à moi de faire la demande. Et vous, vous n'aurez qu'à répondre : « Oui. »

Emily : Ce qui est presque déjà fait, alors inutile de nous attarder là-dessus.

Le Major : Ah bon.

(Ils se regardent tous les deux, puis tombent passionnément dans les bras l'un de l'autre.)

Le Major : Cette fois-ci, nous sommes ex aequo. Oh, mon Dieu ! J'allais oublier les enfants !

Emily : Les enfants ?

Le Major : Oui, j'aurais dû vous le demander d'abord : avez-vous quelque chose contre les enfants ?

Emily : Non, si c'est en quantité modérée. Combien en avez-vous donc ?

Le Major (comptant rapidement sur ses doigts) : Cinq.

Emily : Cinq !

Le Major (anxieux) : C'est trop ?

Emily : Cela fait déjà pas mal. Le problème, c'est que j'en ai aussi.

Le Major : Beaucoup ?

Emily : Huit.

Le Major : Huit en six ans — vraiment, Emily…

Emily : Quatre seulement sont à moi. Les quatre autres proviennent du premier mariage de mon mari. Enfin, cela fait quand même huit.

Le Major : Et huit et cinq font treize. Impossible de commencer notre vie commune avec treize enfants, cela nous porterait malheur. (Très agité, il fait les cent pas.) Il faut trouver une solution. Ramener le nombre à douze. Treize, c'est impossible.

Emily : N'y aurait-il pas une façon de se débarrasser d'un ou deux ? Les Français ne manquent-ils pas d'enfants ? J'ai souvent lu des articles là-dessus dans *Le Figaro*.

Le Major : Mais ils doivent vouloir des enfants français. Et les miens n'en savent pas un mot.

Emily : On peut toujours avoir la chance qu'un d'entre eux se révèle dépravé ou pervers, vous pourriez alors le renier. J'ai entendu dire que cela se faisait.

Le Major : Mais, bonté divine, il faut d'abord leur donner une éducation. Vous ne pouvez pas vous attendre à ce qu'un garçon soit pervers avant même d'être allé dans une bonne école.

Emily : Et s'il était naturellement dépravé ? Il existe des quantités de garçons qui sont ainsi.

Le Major : Uniquement quand cela vient des parents. Vous n'imaginez pas quelque dépravation innée chez moi, par hasard ?

Emily : On prétend que cela saute parfois une génération. Vous ne voyez personne dans votre famille ?

Le Major : J'avais bien une tante dont on ne parlait jamais.

Emily : Eh bien, voilà !

Le Major : Mais il ne faut pas trop compter là-dessus. Vers le milieu de l'époque victorienne, il y avait des quantités de choses dont personne n'osait parler et dont aujourd'hui on parlerait très librement. Si cela se trouve, elle avait simplement épousé un membre de la Secte Unitarienne, ou bien elle chassait le renard à califourchon sur son cheval, enfin, quelque chose de ce genre. D'ailleurs, on ne peut pas attendre indéfiniment qu'un enfant se mette à ressembler à une grand-tante à la dépravation incertaine. Il faut trouver autre chose.

Emily : Les gens doivent bien adopter parfois des enfants appartenant à une autre famille ?

Le Major : Des couples sans enfants, peut-être, et dans ce cas...

Emily : Chut ! Quelqu'un s'approche. Qui est-ce ?

Le Major : Mrs. Paly-Paget.

Emily : Exactement ce qu'il nous faut.

Le Major : Pour adopter un enfant ? Elle n'en a pas ?

Emily : Seulement une malheureuse gamine.

Le Major : Il faut l'aborder à ce sujet.

(Mrs. Paly-Paget entre, côté cour.)

Bonjour, Mrs. Paly-Paget. Je me demandais justement pendant le petit déjeuner où nous nous étions rencontrés pour la dernière fois.

Mrs. Paly-Paget : Au *Criterion,* je crois. (Elle s'assied dans le transat vide.)

Le Major : Ah, bien sûr, au *Criterion.*

Mrs. Paly-Paget : Je dînais en compagnie de Lord et Lady Slugford. Des gens charmants, mais d'une avarice ! Ils nous ont ensuite emmenés au *Vélodrome,* on y donnait un ballet très déshabillé d'après Mendelssohn. Nous étions tous entassés dans une loge minuscule, tout en haut, vous imaginez la chaleur qu'il y faisait. On se serait cru au bain turc. Et naturellement on ne voyait rien.

Le Major : Dans les bains turcs, on voit plein de choses.

Mrs. Paly-Paget : Major, vraiment !

Emily : Nous parlions justement de vous quand vous êtes arrivée.

Mrs. Paly-Paget : Vraiment ! J'espère que vous ne disiez pas de mal de moi.

Emily : Certainement pas : la traversée ne fait que commencer. En fait, nous nous désolions à votre sujet.

Mrs. Paly-Paget : Et pourquoi cela ?

Le Major : Votre foyer sans enfants — enfin, ce genre de choses. Et pas de petits pieds qui trottinent.

Mrs. Paly-Paget : Mais comment cela, Major ? J'ai une petite fille, j'imagine que vous le savez. Et ses pieds trottinent aussi bien que ceux des autres enfants.

Le Major : Mais ça n'en fait qu'une seule paire.

Mrs. Paly-Paget : Évidemment. Cette enfant n'est

pas un mille-pattes. Et si l'on considère la façon dont on nous déplace d'un de ces horribles postes dans la jungle à un autre, je dirais plutôt que j'ai un enfant sans foyer, plutôt qu'un foyer sans enfant. Je vous remercie cependant de votre compassion. J'imagine que vos intentions étaient bonnes. C'est souvent le cas, avec les propos déplacés.

Emily : Chère Mrs. Paly-Paget, nous étions seulement désolés pour votre charmante fillette, quand elle va grandir, sans petits frères ni petites sœurs avec qui jouer.

Mrs. Paly-Paget : Mrs. Carewe, je trouve cette conversation parfaitement déplacée, pour ne pas dire plus. Je suis mariée depuis seulement deux ans et demi, il semble naturel que ma famille soit peu nombreuse.

Le Major : N'est-il pas exagéré de parler d'un rejeton femelle unique comme d'une famille ? Famille, cela suggère un certain nombre.

Mrs. Paly-Paget : Vous avez, Major, une façon vraiment extraordinaire de vous exprimer. Naturellement, je n'ai qu'un seul rejeton, comme vous dites, pour le moment... femelle...

Le Major : Elle ne va pas se changer plus tard en garçon, si c'est là-dessus que vous comptez. Vous pouvez nous croire sur parole ; nous avons beaucoup plus d'expérience que vous dans ce domaine. Quand on est femme, on le reste. La nature n'est pas infaillible, mais elle s'en tient toujours à ses erreurs.

Mrs. Paly-Paget (se levant) : Major Dumbarton, ces paquebots sont malheureusement trop petits, mais j'ose espérer que nous aurons cependant la place de nous éviter au cours de cette traversée. Ce qui s'applique également à vous, Mrs. Carewe.

(Mrs. Paly-Paget sort, côté jardin.)

Le Major (s'enfonçant dans son transat) : Quelle mère dénaturée !

Emily : Je ne confierais pas un enfant à une

personne comme elle ! Oh, Dickie, pourquoi fallait-il que vous ayez une si nombreuse famille ? Et vous m'aviez toujours dit que vous vouliez que je sois la mère de vos enfants.

Le Major : Je n'allais pas rester à attendre pendant que de votre côté vous fondiez des dynasties, sans compter les enfants adoptifs. Vous ne pouviez pas vous contenter de vos propres enfants, sans vous mettre à les collectionner comme des timbres-poste ? L'idée aussi d'épouser un homme père de quatre enfants !

Emily : Vous me demandez bien d'en épouser un qui en a cinq.

Le Major : Cinq ! (Bondissant hors de son transat). J'ai dit cinq ?

Emily : Certainement ; vous avez dit cinq.

Le Major : Mais alors, Emily, j'ai dû me tromper ! Ecoutez, nous allons compter ensemble. D'abord, Richard — à cause de moi, naturellement.

Emily : Cela fait un.

Le Major : Albert-Victor... Ce devait être l'anniversaire du Couronnement...

Emily : Deux !

Le Major : Maud ; à cause de...

Emily : Passons. Trois !

Le Major : Et Gerald.

Emily : Quatre !

Le Major : C'est tout.

Emily : Vous en êtes sûr ?

Le Major : Absolument. J'ai dû compter Albert-Victor pour deux.

Emily : Richard !

Le Major : Emily !

(Ils tombent dans les bras l'un de l'autre.)

(Titre original : *The Baker's Dozen*)

Table des matières

ACHEVÉ D'IMPRIMER SUR LES PRESSES
DE COX & WYMAN LTD. (ANGLETERRE)

Dépôt légal : décembre 1991
N° d'éditeur : 2136
Imprimé en Angleterre